清朝と近代世界
19世紀

吉澤誠一郎
Seiichiro Yoshizawa

シリーズ中国近現代史①

岩波新書
1249

はじめに

日本の徳川政権と清朝《しんちょう》とは、使節のやりとりなど国家どうしの恒常的な関係をもっていなかった。成立してまもない明治政府は新しく国交を求めて、一八七〇年（明治三年）から清朝と条約の交渉をはじめ、一八七一年、日清修好条規《にっしんしゅうこうじょうき》に調印した。

副島種臣と李鴻章

そのころ、琉球王国に属する宮古《みやこ》島の船が台湾に漂着し、乗員が先住民に襲われるという事件が起こり、日本国内では、報復のため台湾に出兵せよという意見も出されるようになった。

このような動きのなか、一八七三年（明治六年）、外務卿副島種臣《そえじまたねおみ》は、特命全権大使として清朝に派遣された。天津《てんしん》では外交を担当する北洋大臣李鴻章《りこうしょう》とのあいだで日清修好条規の批准書交換という任務を果たし、北京では親政を開始した同治帝《どうちてい》に謁見《えっけん》した。その過程では、剛胆な振る舞い、強硬な要求を示し、清朝側を警戒させ辟易《へきえき》させていた。

帰途に再び李鴻章に会うにあたり、副島は「李中堂《ちゅうどう》に似《おく》る」と題する詩を作った。中堂とは、このときの李鴻章の地位（内閣大学士）を尊んだ言い方である。

舟に刻《きざ》みて失いし剣を踪《お》う
舟は去りて踪《あと》は已《すで》に滅《き》ゆ
柱に膠《にかわ》して瑟琴《しっきん》を調《しら》ぶ
柱は移るも調べは愈《いよい》よ拙《つたな》し
道と治とは汚《くだ》り隆《たか》まる
弊風《へいふう》　何ぞ瑣《さ》屑《せつ》ならん
俗吏は簿《ぼ》書《しょ》に拘《とら》われ
掊克《ほうこく》して膏血《こうけつ》を朘《けず》る
儒生は章句に泥《なず》み
陳腐に口舌を鼓《ふる》う
所以《ゆえ》に更張《こうちょう》の事は
必ず不世の傑を俟《ま》つ

愚か者は剣を水中に落とすと場所の目印を舟につける
舟が動いて場所がわからなくなることを知らない
琴柱《ことじ》を膠で固定して琴の演奏をする
琴柱を動かしても音調はますます悪くなるばかり
治世のありかたは衰退したり興隆したり変化する
悪しき気風といっても些細なことと済ませられない
凡俗な役人は書類にばかりこだわり
厳しく税金をとりたて人々を苦しめる
世間しらずの学者は古い本の言葉にとらわれ
陳腐なことばかり主張する
だから改革をおこなうには
不世出の人材が必要なのだ

もちろん、「不世の傑」(不世出の人材)とは李鴻章に対するお世辞である。舟に印をつける話と琴柱を固定する話は、時世の流れを理解していない比喩として中国の古典籍にみられる表現を踏まえている。そのうえで、副島は清朝の政治が旧習にとらわれ多くの弊害があることを、

李鴻章．清末を代表する政治家．写真は，曾国藩の後任として直隷総督となった直後のものであろう．写真家ジョン・トムソンが撮影（J. Thomson, *Illustrations of China and Its People*）．

副島種臣．佐賀藩の出身．外務卿のとき特命全権大使として天津・北京を訪れた（石川九楊編『蒼海 副島種臣書』）．

忌《き》憚《たん》なくずばり指摘したことになる。

老練の李鴻章は、それに動じなかった。副島を招いた宴席で李鴻章は言った。閣下の詩を何度も読み返しましたが、憂国の心はまさに私と同じです。かつて曾国藩《そうこくはん》が改革を試み、私とともに唱導して一〇年になります。いまや各地で兵器・艦船をつくり、陸海軍を訓練するに至っています。また、今春には輪船招《りんせんしょう》商局《しょうきょく》をもうけて海運事業に取り組んでいます。ただ、その燃料として石炭が必要なので、ぜひ日本から順調に輸入できるように取りはからい願いたい。

副島は、承知しましたと答えたうえで、なぜ貴国は炭鉱を開かないのかと問うた。李鴻章は、採炭の技術がないと説明した。それからも別の話題が続いた。副島が辞去しようとするとき、二人で酒杯をあげたあと、李鴻章は副島の手を握って涙を浮かべたと、日本側の記録にはある。いよいよ天津を離れる日、副島は、李鴻章に対する感謝の言葉を揮毫《きごう》して贈った(『大日本外交文書』六巻、一九二―一九五頁)。

副島種臣は、佐賀藩の出身であり、幕末には大隈重信《おおくましげのぶ》らとともに勤王の志士として活動しようとした経歴をもつ。この清朝派遣のときは、まだ四〇代半ばだったが、明治政府で外務卿という要職を務めていた。副島は、漢学・国学・洋学のいずれにも相当の素養があり、書道史にも名を残した人物である。離別の揮毫だけでなく、右に引用した詩も副島が自ら書いて李鴻章に贈ったものと推測される。副島は、五歳年長の李鴻章に対してもほぼ遜色《そんしょく》ない胆力と教養があることを示そうとしていたようである。

まもなく副島は征韓論争に敗れて明治政府から離れることになったが、のちに枢密院《すうみついん》副議長や内務大臣を歴任した。晩年にはますます書家として名を高め、その迫力ある怪異な書体は、今日なお人を引きつけてやまない。李鴻章のほうはその後も二〇年以上にわたって、おもに天津において清朝の対外政策を担当しつづけた。李鴻章のその立場がゆらぐのは、一八九五年、日本との戦争に敗れた責任を負わされたためである。

副島が清朝にわたった背景には、琉球と台湾についての清朝の態度をみるという意図が込められており、実は李鴻章も完全にそれを見抜いていた。この領土問題は、なお紆余曲折があったが、一八九五年に李鴻章が調印した下関条約によって台湾が日本に割譲されることで、ひととおりの決着がついたと言える。しかし、それも今日につながる台湾の地位という論点の新たな出発点となったのである。

ゴードン・ホールにて

一八九〇年五月、天津イギリス租界《そかい》に新しくできた堂々たる建築では、李鴻章やアメリカ公使デンビらを招いて落成の式典が開かれた。これを主催したのはイギリス租界の行政機構の長だったデトリングである。デトリングは、清朝の天津海関税務司の地位にあり、多年、李鴻章とも深い関係をもっていた。この建物は、しばらく前にアフリカで戦死したイギリス軍人ゴードンの名前をとって、ゴードン・ホールと名づけられた。

その式典の挨拶のなかで、デトリングは述べた。

およそ三〇年前、当時ほとんど無名のゴードン工兵大尉は、この租界の場所を決めて正確な地図を作り、つづいて、〔李鴻章〕閣下の軍事作戦に従い友人となることで有名になりました。そのときからこの租界は次第に発展して今日まできたのです。

これに応じて、李鴻章は次のように述べたという。

この建物の落成を宣言するように私が求められたことに対しては、喜んでそれに応じたのですが、いっそううれしかったのは、我々が集まっている建物が私自身の卓越した友人にちなんで名づけられることです。彼のすばらしい軍事的才能は私自身の作戦に加わることではじめて注目されるようになり、その後も、私は大きな関心と讃嘆をもって、彼が別の国々で高潔な任務を果たしていくのを見ていました。その早すぎる死には、まだ痛ましい気持ちが消えません。私がいま落成を宣言するこの建物が、ゴードンと中国との縁《えにし》をずっと記念することになりますように（*The Chinese Times*, 10 May 1890）。

ゴードンは、一八三三年生まれのイギリス軍人である。陸軍工兵隊に属していた。まずは、一八五四年、クリミア戦争に参加し、セヴァストポリ要塞戦で戦功をあげた。ついで一八六〇年、第二次アヘン戦争（アロー戦争）のときの中国派遣軍に加わった。この戦争が終わった後、ゴードンは天津城から少し離れた海河《かいか》ぞいの地区を測量し、駐屯地に仮設兵舎をつくった。これが、天津イギリス租界の起源である。

一八六三年、ゴードンは太平天国の鎮圧にあたる常勝軍《じょうしょうぐん》の指揮官を命じられた。このころ清朝は太平天国の鎮圧に苦慮しており、関係を改善したイギリス側に支援を求めたからである。常勝軍を管轄していたのは李鴻章だったが、ゴードンはときに李鴻章と対立しつつも清朝側の勝利に大きな役割を果たした。

ゴードンは、イギリス帰国後は閑職のなか宗教的思索にふけり、聖書を繰り返し読んだ。その後、スーダンなどでの軍務のあと、一八八〇年、清朝とロシアが開戦の危機に直面したとき、またも清朝を助けようと李鴻章のもとにやってきた。八四年、スーダンでマフディー運動という宗教勢力が拡大して反エジプトの武力攻撃を進めハルトゥームに迫ったとき、駐屯していたエジプト軍は撤退しなくてはならなかった。イギリスに実質支配されるエジプト政府から、その撤退の任務をまかせられたゴードンは、ときのイギリス首相グラッドストーンの方針と対立し、一八八五年、ついにマフディー軍に包囲されて戦死した。天津のゴードン・ホール落成は、その五年後のことである。

清朝の官服を来たゴードン．イギリス軍人として第二次アヘン戦争に参戦し，その後，清朝と協力して太平天国の鎮圧を担った．官服は清朝から下賜されたものである（A. Egmont Hake, *The Story of Chinese Gordon*）．

ゴードンは、宿命論的で強烈なキリスト教信仰心をもつとともに、勇敢な軍人、天性の戦略家としても名を馳せ、他方で激しい気性とつむじ曲がりの性格であった。ヴィクトリア時代の著名人四人を取り上げていささか意地の悪い筆致で伝記を記したストレイチーによれば、ゴードンの風変わりな性格は、ある意味で、イギリス精神の複雑怪奇さを体現するものだという。

このゴードン・ホールは、天津イギリス租界を代表する建築となった。その南にあるヴィクトリア公園は、ヴィクトリア女王の即位五〇年を記念して、一八八七年につくられたものであり、このあたりが天津イギリス租界の中心部をなしていた。中華人民共和国が成立したあと、ゴードン・ホールは壊されるどころか、天津市政府が使うことになった。しかし、一九七六年に起こった大地震で崩れてしまい、同じ場所に建てられているのが現在の天津市政府の建物である。

近代世界のなかの清朝

李鴻章は、ゴードンや副島のような強い個性をもつ人物とわたり合うだけの大人物である。この時期に政治を主導するには、朝廷で権勢をふるう西太后《せいたいごう》の支持も不可欠だった。ゴードンやデトリングのような外国人を使いこなし、副島のように油断のならない豪快な政治家と交渉を進めながら、李鴻章は清朝という国家を少しずつ近代の国際社会の一員として参加させていったのである。不世出の人材という副島による形容は、実のところ、ぴったりした評価ではないかと思われる。

清朝は、一八世紀末から、さまざまな政治的困難・社会的矛盾に直面していた。それが極まったのが、一九世紀半ばに連鎖的に発生する民衆反乱である。同時に、清朝が対抗しなくてはならなかったのは、近代世界の成立、なかでも西洋諸国の覇権と日本の台頭である。李鴻章は、まさに太平天国や捻軍《ねんぐん》といった反乱勢力を鎮定するなかで官僚としての権力を握ったあと、近代世界のなかに清朝を位置づけることを終生の課題とすることになった。

近代世界の成立というとき、一つのまとまった人類社会がつくられるようになったという意味合いも含まれている。しかし、それは単線的な世界の一体化への道ではなかった。むしろ、まず問われたのが競争にうち勝つ国家の力量だった。それは端的に軍事力として表現されるが、むろん背後には経済や技術の力がある。

近代産業の一大特徴は、動力源として化石燃料を使うことであろう。鉄道や蒸気船がその代表である。船を蒸気機関で動かす技術は、一九世紀半ばの欧米で軍事利用が進んだ。一八四〇年、アヘン戦争のときに清朝を攻めたイギリス艦隊には蒸気船が含まれてはいたが、主要艦船はまだ帆船だった。アメリカ海軍において蒸気艦船の導入を進めたのがマシュー・ペリーである。一八五三年、彼が日本に来航したときの「黒船」では、蒸気船は四隻のうちの二隻だけだった。その後、蒸気船は急速に広まり、軍事面でも物流面でも大いに活躍するようになった。明治初年になると長崎県の高島炭鉱などから採れた石炭は、アジア東方海域における汽船運航にとって重要な役割を果たすことになる。李鴻章が副島に石炭のことを尋ねているのは、この化石燃料の重要性を認識していたことの表れであり、彼が語った輪船招商局とは蒸気船を利用した運輸企業だった。

西洋列強はその軍事的・経済的優越を競い、世界各地に拠点を設けようとした。ゴードン・ホールが建てられた租界は、そのような拠点のうちの一形態といえる。上海《シャンハイ》や天津に外国人居住区域として設けられた租界は、清朝にとって複雑な役割を果たした。ここは、あくまで清朝の領土でありながら、外国人が実質的に支配する場所となっていた。一方、この租界にある商社・銀行のおこなう海外貿易は、税関を通じて多額の収入を清朝にもたらした。そして、李鴻章が海外の情報を得て技術を吸収しようとするとき、租界の外国人社会は欠かせないものだった。ここには、一九世紀後半の清朝の体制再建が、海を通じた外国との関係構築にもとづいていたことが示されている。

清朝はそもそも北方ユーラシアの伝統を色濃くもった国家でもあった。しかし、このように近代世界のなかで存続をはかるためには、妥協と自己変革を迫られることになる。そこにあった迷いと苦しみ、努力と挑戦はどのようなものだったのだろうか。本書は、その矛盾に満ち、しかも創造的な過程に注目しながら、おもに一八世紀末から一八九四年の日清戦争開戦前夜までの清朝の歴史を追っていくことにしたい。

目次

キャフタ
黒竜江
黒竜江
ウスリー江
モンゴル
吉林
直隷
盛京
北京
天津
渤海
山西
朝鮮
日本
黄河
山東
河南
江蘇
安徽
江
湖北
武昌
南京
上海
杭州
寧波
長沙
浙江
湖南
江西
福建
琉球
福州
厦門
広東
台湾
広州
澳門

ロシア
イリ
新疆
カシュガル
甘粛
青海
英領インド
チベット
ラサ
西安
陝西
四川
長
重慶
貴州
雲南
昆明
ビルマ
広西
ベトナム
海南島

19 世紀はじめの清朝

第1章　繁栄のなかにはらまれた危機

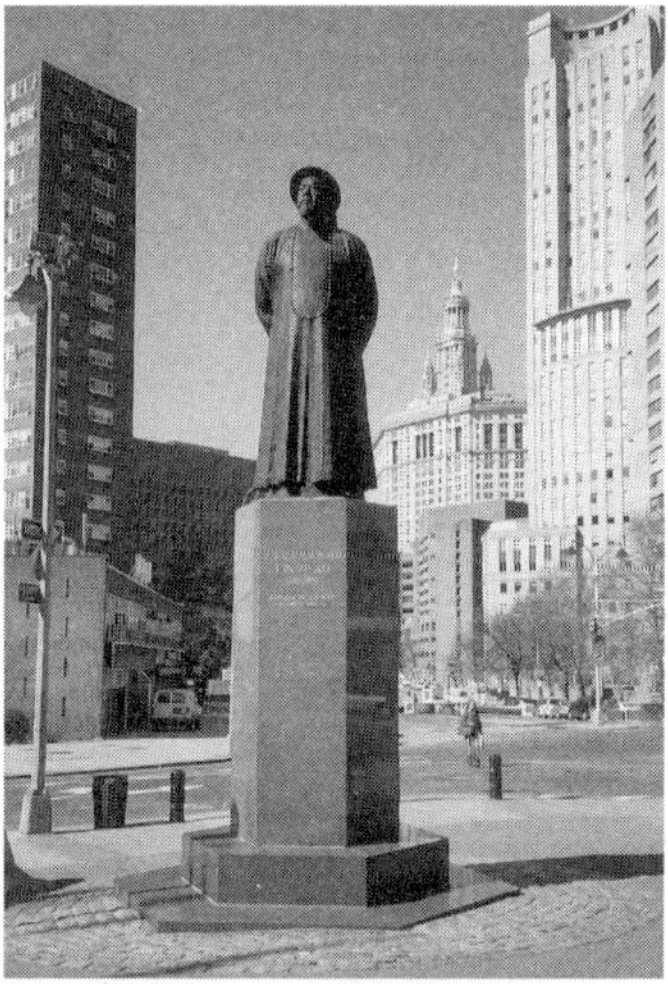

ニューヨークの林則徐銅像．チャイナタウンにある．台座の説明文には「ドラッグと闘った先駆者」と記されている．アメリカでの中国人イメージがアヘン吸飲と結びつけられてきたことを，はねのける意図がこめられているかもしれない．林則徐は，多様な立場から顕彰されてきたが，いずれも彼の一面を強調したものである(2004 年，著者撮影)．

1　清朝の隆盛

清朝の起源

一六世紀のユーラシア東部は、大きな変動を経験していた。国境を越えた人や物の移動は盛んで、これにポルトガル人などの西洋人が加わった。日本では戦国の世を経て豊臣秀吉の全国統一が完成したが、秀吉はさらに中国大陸の征服をねらって朝鮮に出兵した。明朝は、朝鮮を支援した。朝鮮と明朝は何とか秀吉の侵攻を退けたものの、次には清朝が強力な新興勢力として登場してきた。

清朝は、もとをたどれば、現在の遼寧《りょうねい》省・吉林《きつりん》省あたりに住んでいた女真《じょしん》人が建てた国である。女真人は、農業や狩猟にたずさわっていたが、明朝はこれを巧みに統治していた。とくにこの地域では貂《てん》の毛皮や薬用人参が特産品となり、これに関係して商業も興ってきていた。

一七世紀にはいるころ英傑ヌルハチが登場し、女真人を統一しつつ、明朝と戦った。その子ホンタイジは後金《こうきん》という王朝をたて、朝鮮にも侵攻して服属させた。そして、大清《だいしん》を国号として、女真に代えて満洲《まんしゅう》と名乗ることにした。

明朝は必死で防戦した。おりしも陝西《せんせい》で発生した農民反乱が拡大し、ついに一六四四年、李《り》自成《じせい》の率いる反乱軍は北京を占領して明朝を滅亡させた。これをみた清朝は、万里の長城の東端にある山海関《さんかいかん》を越えて北京に進んで李自成の政権をたおし、つづいて中国大陸の全体を征服しようとした。

それまで明朝に仕えていた者のなかには、清朝への抵抗がみられた。清朝が女真人の髪型である辮髪《べんぱつ》を強制したことも、漢人の自尊心を傷つけた。また、明朝の皇族を奉じて清朝への服属を拒否する勢力もあった。しかし、清朝はこれらを着実に鎮圧していった。

明朝を奉じていた勢力のうち最後まで残ったのは、台湾を拠点とした鄭成功《ていせいこう》である。鄭氏政権は、地の利を生かした国際貿易によっていたので、清朝は台湾に近い沿海部に住む人々を強制的に移動させて鄭氏を孤立させようとした。結局、鄭氏政権も康煕帝《こうきてい》(在位一六六一―一七二二年)の時代には清朝に降伏し、台湾も清朝の統治のもとに入った。

清朝とユーラシア

康煕帝の時代には、清朝は安定と繁栄を迎えたが、まだ手強い相手が残っていた。モンゴルの系譜をひくジューンガルの勢力が清朝の西北方面にひろがる広大な内陸地域をおさえて強勢をほこっていた。ジューンガルは、チベットにも勢力を植え付けつつあった。康煕帝は、ジューンガルに対して親征を試みたが、完全な勝利を収めることは難しかった。

つづく雍正帝《ようせいてい》(在位一七二二―三五年)もジューンガル対策には心を砕いた。またチベットをジューンガルに近づけないように統制しようとした。乾隆帝《けんりゅうてい》(在位一七三五―九六年)の時代になって、清朝はようやくジューンガルを討滅することができた。このころジューンガルが拠っていたのは天山《てんざん》山脈の北の草原であり、清朝はこの中央アジア地域にも軍を進めた。

清朝はこうして獲得した天山山脈の南北を含む広大な領域に支配を広げることになった。この新疆《しんきょう》の支配を統轄するイリ将軍などを配置し、満洲人の一派であるシベなどの兵を駐屯させた。また、おもにタリム盆地のオアシスには、トルコ系の言語を話す人々が住んでいた(今日のウイグル人の祖先にほぼ相当する)が、この地域に対しては、現地の首長をベクやジャサクなどの職位に任じて、統治させた。

もうひとつ、清朝にとって無視できない隣国は、ロシアだった。康熙帝の時代に、黒竜江(アムール川)方面で軍事的な衝突が何回か起こったあと、両国は一六八九年、ネルチンスク条約を結び、外興安嶺《そとこうあんれい》を国境と定め、貿易も開始した。つづく雍正帝は、ロシアとキャフタ条約(一七二七年)を結ぶことによって、さらに西の部分の国境を取り決め、このキャフタでの交易を認めた。

しかし、新疆方面の露清国境は、一八世紀にはあまり明確とならなかった。遊牧民のカザフの一部の首長たちは、清朝とロシアの双方に服属していた。このカザフに加え、西トルキスタンにあるコーカンド・ハン国の商人も、ロシアと清朝の中継交易に参加して利益を得ていた。

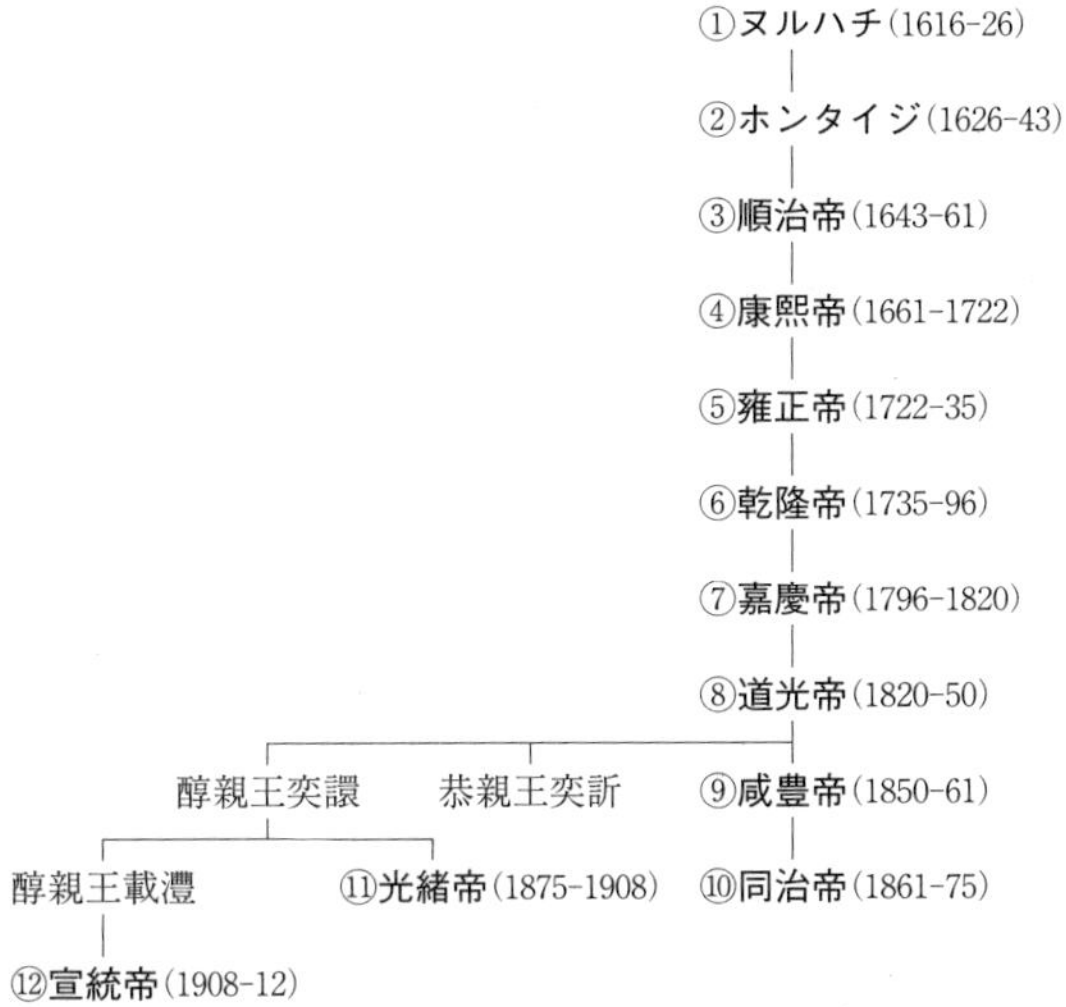

清朝皇帝の系図(カッコ内は在位年)

清朝の統治構造

清朝は、世襲の満洲人皇帝によって統治される国家だった。その統治の仕組みは、かなり独自の要素を含んでいる。

統治の基本をなしたのは、八旗《はっき》という集団に編成された軍事力だった。八旗は、満洲・蒙古・漢軍というように区分され、ここに所属する旗人《きじん》としての地位は世襲された。彼らは、単に軍事を担当するだけでなく、政府の高官にも登用される人材の供給源となっていた。

もうひとつ、政府高官になったのは、科挙《かきょ》を経て、進士《しんし》の資格を得た文人たちである。科挙は、おもに儒学の経典に依拠して作文をおこなう試験であって、多少の例外はあるものの、すべての男性に受験の機会があることになっていた。

清朝の人材登用のすぐれた点は、科挙の成績や旗人の家柄だけでは必ずしも高い地位が保証されず、これらの人材の集まりのなかから、仕事のできそうな者を皇帝が適宜に使ってみて昇進させていくという点にある。勉強はできるけれども行政能力のない科挙優秀者は、実務にたずさわらせず北京で名誉ある職につけておいてときどき地方に科挙の試験官として派遣したり、また実務官僚の不正を摘発する監察の任務を与えたりしたのである。旗人についても、能力のある者を積極的に任用した。このように世襲的な旗人エリートと、個人の知的能力で選抜された科挙エリートとを巧みに組み合わせたところに、清朝の人材登用の特色があった。

北京の中央官庁としては、明朝と同様に六部《りくぶ》(吏部《りぶ》・戸部《こぶ》・礼部《れいぶ》・兵部《へいぶ》・刑部《けいぶ》・工部《こうぶ》)のほか、監察を担当する都察院《とさついん》、宮中に奉仕する内務府などが設けられた。明朝の政策決定で重要な意味をもった内閣の機能は、清朝では比較的形式的なものになっていき、雍正帝の時代に創設された軍機処《ぐんきしょ》が政治の枢要を担った。

清朝は、広大な領域に統治を及ぼすことになったが、おおむね科挙出身のエリートはもともと明朝の支配下だった地域の地方官に任じられ、旗人エリートは内陸アジアをふくむ全地域に派遣された。

地方統治の末端は、県の衙門《がもん》(役所のこと)である。県(および県と同じレベルの行政官署)は、一九世紀には全国で一六〇〇ほどあった。現代日本の県よりずっと小さく、平均すると二〇万人から三〇万人ぐらいを管轄した。県衙門に中央から任命されてくる官僚は一人だけという場合もあり、多くても副官が数人加わるぐらいのものである。衙門の実務は、その地域に根ざしている胥吏《しょり》や衙役《がえき》という小役人が担当する。胥吏・衙役は、地元の有力者と結託していることもあり、新任の官僚がこれらを使いこなすのは容易ではなかった。このことからもわかるように、清朝の官僚組織は地方社会を実際に統治する力量という点でたいへん弱体なものだった。

清代の学問

漢人にとって、清代の教学の基本は儒教におかれていた。科挙の試験科目のおもな内容も、儒教のよりどころとなる経書からの出題だった。

乾隆帝は、天下の書物をすべて集成するように命令を下した。その成果が、『四庫全書《しこぜんしょ》』である。大量の書物が集められて、七セット清書された。その過程で、編纂官は書物の目録・解題をつくった。実際には、すべての書物がここに含められたわけでなく、目録に書名が収録されただけの場合も多い。この作業を通じて、国家による書物の評価がなされたといえるだろう。

清代の儒学の特徴は、「漢学」の展開とされる。「漢学」とは、漢代の学問を理想とする研究態度であり、考証学《こうしょうがく》といってもよい。むろん、経書の正しい理解をめざす努力は、儒学の歴史を通じてみられるし、朱子学のなかにも文献の考証は含まれている。清代「漢学」においては、朱子がつけた注釈をうのみにせず、漢代の鄭玄《じょうげん》などの古い注によることがよいとされた。

明代に流行した陽明学は、「自分の心のなかに理がある」と主張するので、書物の研究に必ずしも重きを置かなかったのだが、清代の考証学は、経書を本来の意味にそって正確に読解することをめざした。そのためには、古代の言語について探究する必要がある。また、古い制度を理想的なものとする以上、文献を通じてそれを正しく把握したいと思うことになる。その場合に問題となるのが、経書のなかに偽の書物がまぎれ込んでいるかどうかという心配である。たとえば、閻若璩《えんじゃくきょ》は、『書経』という経書の一部分が偽作であることを証明した。

考証学は、科挙受験とは異なる次元で、学者による真理の探究として進められた。この背景には、明末以降の出版業の隆盛、考証に必要なだけの書物を集めた蔵書家の登場や、直接に政治的な意味をおびた学術を避ける傾向など、社会的条件もあった。しかし、まずは、経書のなかに真理を見いだそうとする情熱が、考証学の展開を推し進めていたというべきだろう。他方で、考証学は、新発見を学者どうしで競うというような側面もあった。

のちに二〇世紀に入り、啓蒙的知識人として知られた梁啓超《りょうけいちょう》は、この清代考証学を西洋の文芸復興（ルネサンス）になぞらえた（『清代学術概論』）。この類比の当否はおくとしても、そこには、考証学に対する高い評価が示されている。

清朝の対外関係

清朝は、さまざまな外国とうまくつきあう必要があった。

朝鮮や琉球は、定期的に朝貢《ちょうこう》の使節を派遣していた。朝貢とは、外国からの使節が貢ぎ物を持参して皇帝の徳をたたえる儀礼的な交渉をさす。また、朝鮮国王や琉球国王が即位するにあたっては、清朝から使節をソウルや首里《しゅり》に派遣してもらって、冊封《さくほう》つまり国王に任命する儀式をおこなうことになっていた。これは、明代の方式を踏襲したものである。ただし、これら藩属国の扱いも、歴史的経緯によって異なっていた。朝鮮は清朝が北京に入る前に服属したという事情を反映して、一九世紀前半まで清朝から朝鮮に派遣される使節は高位の旗人から選ばれたのに対し、琉球には、旗人に限らず、科挙を経て進士の資格を得た文人官僚が遣わされることも多かった。

清朝に外国使節が来訪した際には、それに付随して貿易もおこなわれた。使節はそれぞれ決まった地点から清朝の領域に入り、指定された経路で北京に至ったが、とくにその入国地点は交易の場となっていた。たとえば、琉球にとっては福州、シャム(現在のタイ)にとっては広州がその地点として定められていた。

しかし、そのような儀礼的関係をもつのは、相互に面倒なことである。交易が第一の目的であるならば、正式な使節の往来や朝貢の儀礼などは省略したほうが簡便だった。徳川政権の日本と清朝との関係は、まさにそのような貿易だけの関係であり、清朝治下から民間商人が長崎に来航し、唐人町《とうじんまち》をつくって住んでいた。

ヨーロッパ人は、澳門《マカオ》を拠点としていて一八世紀半ば以降は広州一港のみに来て貿易することを許されていたが、清朝の官憲と接触することはまれだった。澳門政庁とその隣の香山《こうざん》県とは行政文書のやりとりをしたが、あくまで地方政府相互の関係であって、清朝はそれを国と国との外交とはみなさなかった。

清朝は、雍正帝以来、キリスト教を禁止していたが、カトリック宣教師は、天文学など特殊な技能のために清朝に仕官していた。とくに、ロシアと清朝との初期交渉では、宣教師のラテン語の能力が役立った。ただし、原則としてこれら宣教師は帰国を認められず、むろん布教活動も許されていなかった。

近隣諸国の動向

一八世紀の日本は、泰平に酔いしれていたとされる。このことは、漠然とした自国への満足感をともなっていた。

伊勢松坂で日本古典の研究に励んだ本居宣長《もとおりのりなが》は、「敷島《しきしま》の大和心《やまとごころ》を人問わば朝日ににおう山桜花」と詠んだ。この歌は「やまとごころ」を山桜に象徴化していて、日本のすばらしさに自己満足する精神をよく示している。本居の『玉勝間《たまかつま》』を読むと、明末清初の学者顧炎《こえん》武《ぶ》の古代中国語研究に一定の評価を与える一方で、中国に感化された「からごころ」の作為性・欺瞞性をあざわらう指摘も含まれている。「蛍の光・窓の雪」によって勉学に励んだという中国の故事に対しては、「近所の家からもれる明かりを使ったほうがよく読めるのではないか」と疑問を発する。中国古代の聖王の年齢を計算し、「八〇歳をすぎて子供をつくるとはなん」と好色なことか」と嫌みをいう(『日本思想大系40　本居宣長』一一六〇頁、一二九五頁、四〇〇―四〇一頁)。

蘭学の隆盛も、中国文化への対抗という意味が含まれていた。オランダ医学が漢方医学の限界を指摘しながら展開されただけでなく、オランダ語の文献に示された近代科学や地理の知識は漢学者の知識を相対化していった。

むろん、長崎を通じて中国大陸から書物が輸入されていたし、日本各地で漢文が熱心に学ばれていた。しかし、ほとんどの漢文の学習者にとって、同時代の中国について理解を深めることは目的とされなかった。その必要があまり感じられなかったのである。

以上のように江戸時代の日本は、中国文化の地位を相対化させて自己意識を形成していったが、対照的なのは朝鮮の事例である。朝鮮は、清朝が北京をおさえる前からすでに清朝に軍事的に服属させられていた。しかし、もともと朝鮮人は清朝をつくった女真人を野蛮とみなしていたことから、清朝への服属について朝鮮士族の心情は複雑だったに違いない。朝鮮において朱子学がことに重視された理由としては、さまざまな要因を挙げるべきだが、「正しい教え」が朝鮮でこそ最も尊ばれているという誇りも関係していただろう。清朝での考証学の展開に対しても、朝鮮からはおおむね冷ややかな視線が注がれる。このように朝鮮の士族にとって儒教の正統を担っているという自負は、大切なものだった。

東南アジア方面の国家も、清朝に朝貢しつつも、自己の立場を大切にしていた。ビルマもシャムもベトナムも、国内的には自国と清朝は対等とする表現をとることが普通だった。たとえば、コンバウン朝ビルマの年代記において、自分の王朝は「西の王」であり、清朝は「東の王」と記された。むろん清朝が受け取る国書でそのように記すことはできないので、漢文の文書では適当に恭順の姿勢を示す表現に変えられることになるが、そうしておきさえすれば、とくに問題とはならなかったのである。

2　繁栄と紛争

マカートニー使節団

英国王ジョージ三世は、六〇年にも及ぶ治世(在位一七六〇―一八二〇年)のなかで、意欲的な政策を進め王権の強化をはかろうとしたが、それが裏目に出ることもあった。フランスなどとの七年戦争ののち、イギリスはカナダを植民地としインドでの優勢を確立した。他方で、軍費のため徴税を強化したことが、アメリカ植民地の不満をまねいた。一七七三年、マサチューセッツのボストン港では、東インド会社が運んできた中国茶を、市民が海中に投げ入れるという事件が発生した。これが、アメリカ一三植民地の独立につながっていく。

このころ、イギリス本国でも、茶を飲む習慣が広まっていた。中国には、さまざまな発酵度の茶があるが、イギリス人が好んだのは最も発酵が進んで独特の香りをもつようになった紅茶だった。これに、カリブ海の島々でとれた砂糖を入れて中国製などの陶磁器で飲むという独特の茶文化は、まず上流階級で流行し、次第に模倣されて広まっていった。一八世紀末には、こうしてイギリスはじめ欧洲大陸でも茶に対する需要が高まり、清朝から欧米への輸出品のなかで茶は最大の品目となっていた。一七八四年、イギリスは茶の輸入関税を大きく引き下げたので、ますます茶の貿易は盛んとなった。

しかし、イギリスは、貿易にあたってたいへん不便を感じていた。清朝との貿易は広州に限定され、しかも、広州においても珠江《しゅこう》ぞいの一角にあるファクトリー(商館地区)にのみ一時居住が許されただけだった。ポルトガルのおさえる澳門《マカオ》から、商館のある広州に出かけて交易し、再び澳門に戻るのであって、独自の拠点はなかったのである。

また、イギリスにおいて清朝との貿易は、東インド会社の独占にゆだねられていた。もし、インドに住むイギリス人などがインドから東南アジアを経て広東《カントン》に至る貿易に従事したい場合には、東インド会社から免許を得なければならなかった。このように東インド会社から地方限定の貿易権を得る形態を、地方貿易(カントリー・トレード)といった。

一八世紀末、英国首相の小ピットは、フランス革命への対応に追われながらも、アジア方面との貿易拡大を意図し、東インド会社への統制を強めようとしていた。そこで、イギリス政府は、清朝への使節派遣を構想し、ジョージ・マカートニーを大使に選んだ。マカートニーは、アイルランド貴族の出身だった。ロシア公使、西インド諸島の知事、インドのマドラス知事を歴任し、エドモンド・バークらの文人・学者たちとも親交があり、対外交渉と教養の面で適任とされたのだろう。

一七九二年、マカートニーは、ジョージ三世から乾隆帝にあてた書簡を持ってイギリスを出発し、翌九三年九月に熱河《ねっか》(皇帝の避暑山荘がある)で皇帝に謁見した。清朝政府と交渉すべきことは、(1)イギリスが独自に管轄できる貿易拠点の獲得、(2)貿易条件の改善、(3)常駐使節の交換、などだった。

マカートニーと清朝の儀礼

清朝からすれば、このマカートニー使節団は非常に迷惑だった。要求の内容以前に、派遣そのものが面倒をひきおこしたからである。

この時代の欧洲では、外交の儀礼的手続き・作法(プロトコル)が次第に形成されつつあった。マカートニーは、この慣習を念頭に置いて行動しなくてはならなかった。むろん清朝は、欧洲の儀礼作法とは関係ない相手だったので多少の妥協・調整はできるにしても、英国王の威信を傷つけないことは肝心だったからである。他方で、清朝にも宮廷儀礼があり、皇帝への謁見《えっけん》の場合に守るべき作法が期待されていた。清朝は、マカートニーに対して、乾隆帝にむかって三回ひざまずき、そのたびに三回ずつ頭を地につけることで合計九回ぬかずく所作を要請した。これは、無理無体な要求ではなく、当時の謁見儀礼としては普通のものだったが、マカートニーとしてはヨーロッパの通例にならって片膝をついて皇帝の手に接吻するという儀礼を望んだ。実際にどのような礼がとられたのか、史料の記述はおそらく意図的に曖昧にされているが、両者の妥協によって結着がなされたようである。

乾隆帝に謁見する英国少年．乾隆帝から巾着袋のようなものをもらうのはトマス・ストートン少年で，マカートニー使節団に父と一緒に参加した．片膝をついて堂々とした姿勢は，尊厳を保った様子を示すが，実際の光景がこのとおりだったとは限らない．使節の一員ウィリアム・アレグザンダーの画（Alain Peyrefitte, *L'empire immobile, ou, le choc des mondes*）．

イギリス政府による要求事項は、完全にしりぞけられた。乾隆帝はジョージ三世にくだした勅諭のなかで、次のように述べている。「なんじ国王の奏上のなかに、使節一名をわが天朝に派遣して住まわせ、貿易を管轄させたいという請願があったが、これはわが天朝の基本制度にあわず、とうてい認められない」（『乾隆朝上諭檔』一七冊、五一七頁）。乾隆帝によれば、もちろん西洋各国から清朝に来て仕官した者はいるが、彼らに対しては終生帰国を認めないことになっている。また、外国使節の場合には、北京での行動がすべて定められていて、勝手なことは許されない。これが清朝にとっての長年の制度であるし、貿易については十分に保護しているのだから、使節常駐といった無益な要求をすべきではない。

この勅諭にみえる論理は、要するに北京に使節を常駐させるのは、「わが天朝の基本制度」に反するということに尽きる。ここから旧例を墨守する姿勢をみることもできるかもしれないが、他方で、外国使節が北京にずっと駐在するならば、相互にとるべき儀礼作法についてどんな厄介をもたらすか計り知れないという困惑も伝わってくる。マカートニーの謁見だけでも、これほど対立をもたらすのだから、まして使節常駐などは考えられなかったのだろう。

イギリスは、ついで一八一六年、アマーストを使節として派遣したが、やはり謁見儀礼について折り合いがつかず、皇帝との面会すら実現させることができなかった。

マカートニーが直面したような儀礼的な困難は、ひるがえって、なぜ日本の徳川政権が清朝とは使節の往来をせず長崎貿易で満足していたのか、そして清朝のほうでもあえて使節の派遣を要請しなかったのかを理解させてくれる。公式な使節のやりとりでは、相互に納得できる儀礼的な作法を合意するのがたいへん面倒であり、それ自体、紛争の原因となりかねない。徳川政権と清朝の当局はいずれも、その紛争の無意味さを理解していたのだろう。

一八世紀のロシアは、シベリアの東へと進出し、ついにベーリング海を越えてアラスカまでおさえた。キャフタでの清朝との貿易は、その間も拡大した。清朝がロシアから輸入した商品として重要なものは毛皮である。毛皮はシベリアの特産品であり、北京や江南《こうなん》の金持ちはこれを欲しがった。ロシアが清朝から輸入したのは、初期には綿布が多かった。ロシア語では、キタイ(「中国」の意)から派生したキタイカという言葉が厚手の綿布を指すのも、これに由来するのだろう。その後、ロシアでは茶の輸入が増えていった。これは、ロシアにおける茶文化の定着と深い関係がある。独特の金属製の容器サモワールで湯をわかし、ジャムをなめながら紅茶を飲むという習慣が広まっていった。

ロシアと中央アジアの動向

ロシアは、中央アジアでも着々と勢力を拡大していた。ところが、清朝は、服属の姿勢を示しているカザフとコーカンドの商人だけに貿易を許していたので、ロシアは、これらムスリム商人を通してのみ新疆への交易を進めることができた。

さて、中央アジアにはイスラームのスーフィズム(神秘主義)のナクシュバンディー教団が強い影響力を及ぼしていた。そのなかで権威をもっていたカシュガル・ホージャ家の一部は、清朝が新疆をおさえたときに、隣国のコーカンドに逃れた。その後裔ジャハーンギールは、一八二六年、カシュガルなどに侵攻した。清朝はこれを討ったが、新疆のコーカンド系商人もこの過程で大きな打撃を受けた。この後、一八三〇年代から四〇年代にかけて、コーカンド・ハン国はカザフやキルギス方面に侵攻をすすめ、清朝は勢力を撤退させることになった。

イスラームは、決して単一の教条ではなく、実質的には多様な教派に分かれている。なかでもスーフィー教団は修行の仕方をわかりやすく説き、もっと東にいる回民《かいみん》のあいだでも信奉されるようになっていった。回民とは、おもに中国語を話すムスリムであり、陝西省や甘粛省《かんしゅく》に広く住んでいた。また、サラールや東郷《ドンシャン》などムスリムのエスニック・グループもいる。ここに、中央アジア方面からの教えが新しく伝わることで、社会変動の要因がもたらされた。新しい教えの指導者だった馬明心《ばめいしん》は奇跡を示すことで回民の心をつかんだが、急速に拡大した教団は清朝の弾圧を招いた。一七八一年以降、馬明心の信徒たちは甘粛で蜂起したが鎮圧され、その教派ジャフリーヤは乾隆帝によって厳しく禁止された。

台湾の天地会

『三国志演義』の物語の冒頭には、劉備《りゅうび》・関羽《かんう》・張飛《ちょうひ》の三人が意気投合して義兄弟の契《ちぎ》りを結ぶ場面がある。『三国志演義』は明代に完成した物語ではあるが、このように任侠的《にんきょう》ともいえる人間関係のつくり方は古代から存在したと考えられる。清代にさまざまな名前でつくられた結社も、義兄弟のあいだで固い絆を結び相互に助け合うという誓約にもとづいている。

天地会《てんちかい》も、そのような相互扶助結社の一つである。天地会の起源については不明確な点もあるが、乾隆帝の治世にあたる一八世紀の後半に福建省《ふっけん》で活動を広げていることは確認できる。

そして、一七八〇年代には林爽文《りんそうぶん》に率いられた天地会の反乱が台湾で起こるに至った。

一八世紀の台湾は、続々と福建省・広東省から移住民が来て、盛んに開発が進められていた。おもに、福建省の漳《しょう》州から来た人々、おなじく福建省の泉《せん》州から来た人々、それから広東省から来た客家《ハッカ》という人々が、それぞれ自分たちの村をつくって生活しており、これら出身地ごとの区分による競合と対立は激しかった。相互の対立は、ふとしたきっかけから、しばしば暴力を用いた抗争にまで至った。

林爽文は漳州あたりの出身で、父親とともに一族を頼って台湾に渡った。まっすぐな人柄で意気に感じる親分肌の林爽文は、同じ県の出身で顔なじみの厳煙《げんえん》という男が天地会に加わっていることを知り、自分も入会したいと言った。すると厳煙は答えた。

この会に入りたいなら、香をたく台を設け、〔会員が振り上げた〕刀剣の下で誓いをしなくてはならない。〔ある会員に〕もし何か起こったら、会員は皆で力を出して助けることになる。そして、人数が多くて全員が顔見知りになれないので、人にあったら三本の指を伸ばすという合図を取り決めてある。また「洪」の字の暗号があり、「五つの点、二十一」と言えば会員だ(『天地会』一冊、一一一頁)。

最後にいう暗号は、天地会の会員は、「洪」という姓を共有する一家になったという考え方を背景としている。「洪」という漢字を分解すると、さんずい「氵」と「八」の部分で「五つの点」、残りの部分をさらに分けると「廿《にじゅう》」と「一」になるということだろう。入会しておけば、いざというとき他の会員から助力が得られる。このことは、厳しい競争社会のなかで生き残るために役立っただろう。

ところが、官のほうは、これら結社の存在を快く思わない。結社は、官に抵抗する基盤になるかもしれない。一七八六年、林爽文も地方官から追及される身となり、ついに兵を挙げざるを得なくなった。こうして天地会は、林爽文を盟主として反乱を起こし官と戦った。

この反乱は、天地会の連帯によって急速に拡大して一時は大きな勢威をふるったが、しばらくすると次第に鎮定されていった。大陸からの援軍をえた官軍に加えて、泉州や客家の人々も地元で武装して天地会と戦った。つまり、天地会のつながりは、おおむね漳州方面の出身者の範囲と重なっていたので、漳州人と対立する泉州人や客家人はむしろ官兵とともに天地会を鎮圧する立場にたったのである。

こうして林爽文ら天地会員は捕らえられたものの、その残党は各地に逃れて同様の結社を広めていくことになった。

3　統治再建の時代

人口の急増

一八世紀の清朝は、人口の急速な増加を経験した。今日まで残された人口統計は不正確なところもあって、研究者によって多少の意見の相違があるものの、およそ一七世紀には一億人台だったのが、乾隆の末年にあたる一八世紀末葉には三億にまで至ったとされている。そして一九世紀にはいると四億を超えた。

これに対し、日本は一七世紀の人口急増のあと一八世紀には人口が停滞ぎみだったことを考えるならば、清朝治下の人口爆発にはまず驚くべきである。一八世紀清朝の人口急増の背景には、食糧・衣料をはじめとする巨大な生産拡大があったと想定するほかはない。

人口増加の要因としてまず挙げるべきなのは、活発な移住と土地開発である。長江の中流域から上流の四川《しせん》やさらに奥の雲南《うんなん》へ、または山東《さんとう》から海を越えて遼寧《りょうねい》へ、福建から台湾へと人口は移動し、入植を進めていった。東南アジアへの移民もこのような人口移動の一つの表れである。ただし遠距離の移住が多数を占めていたとは限らない。ある一つの県をとってみても、まだ開発の余地のある地区への入植が進められたと考えられる。

人口密度が高まって土地が希少になった地域では、労働力と肥料を多めに投入する商業的な農業を展開していった。江南地域の一部の地区では、北方から肥料として大豆粕《だいずかす》を移入して綿花を栽培し、綿糸・綿布をつくる農民の手工業が広まった。

とはいえ、このような人口急増は、やはり社会にとって大きな負担となっていった。移住民による開墾が進められたといっても、次第に条件の良い土地は少なくなっていく。無計画で急速な山地開発は、森林破壊と土壌流出をもたらしかねない。また、辺境への漢人入植が、先住のエスニック・グループの生存を脅かす場合もあった。

洪亮吉の警鐘

一八世紀末、官僚だった洪亮吉《こうりょうきつ》は、人口急増に危機感を覚えていた。泰平の世が続き人口が増えていくにつれて一人あたりの物資は足りなくなり、人々は次第に困窮に陥るのではないだろうか。

ある人は、何代か前にはまだ土地には開墾する余地があり、まだ家には空き部屋があった〔だから、人が増えても何とかなる〕と言うかもしれない。しかし、そのようなことで増やせるのは二倍ぐらい、よくても四、五倍だろう。しかし、世帯・人口は一〇倍、二〇倍と増えるのだ。こうして、農地・住宅は常に不足し、世帯・人口は常に過剰となる。ましてや、金持ちは一人で一〇〇人ぶんの広い家に住み、一世帯で一〇〇世帯ぶんの農地を持っているのだから、その他方で予想されるように、悪天候のなかで飢え凍えてのたれ死にする者も珍しくない(「意言」治平篇、『洪亮吉集』一冊、一五頁)。

また、別の文章では、農業に従事しない者が増えることに警鐘を鳴らしている(「意言」生計篇)。洪亮吉は、乾隆年間の末、一七九三年ごろにこれらを書いたとされている。

洪亮吉は「中国のマルサス」と呼ばれるが、彼がその人口論を提起したのは、実は英国の経済学者マルサスの『人口論』(初版、一七九八年)よりも少し早かった。洪亮吉は、とくに人口問題について詳しく研究したわけではなく、右の文章も短文にすぎないから、マルサスに比べればその議論ははるかに素朴といえる。それにしても、生活に必要な資源と人口との関係、とくに急速な人口増加に着目する論点は、マルサスに共通するところがある。マルサスは、かぎられた情報にもとづいていたとはいえ、中国の人口についても相当の関心を示し、アダム・スミスの中国論についても論評を加えている。マルサス『人口論』においても、中国は人口過剰で停滞した社会として描かれている。マルサスがよく知らなかったのは、この人口急増は、清朝治下の平和のもとで起こり、一八世紀末に深刻化していたという点である。

白蓮教徒の反乱

人々が入植してある程度の開発が進み、移住民社会が格差をはらみながら安定化しようとする際に、負け組の不満によって社会矛盾がくっきりと浮かびあがることがある。先に述べた台湾の林爽文の乱の背景にもそのような要因を見て取ることができるが、一八世紀末には、さらに清朝を脅かす大規模な事件が起こった。白蓮《びゃくれん》教徒の反乱である。

一七世紀末の四川省は、明から清への王朝交代の際に戦乱の被害を受けて、人口が少なくなっていた。そこで、一八世紀には湖北《こほく》省など長江中流域からの移住が進んでいった。しかし、移住民のなかにも成功者と失敗者がいる。良い農地や商売の利権は成功した一族におさえられ、とくに後から移住した者にとっては、社会的上昇の可能性は閉ざされていく。

四川・湖北・陝西の境界などの山地には、そのような不満をかかえる移住民が多く集中し、トウモロコシ栽培、豚の飼育、炭焼きなどを営み、商業にも従事していた。

ここに、白蓮教の信仰が伝わってくる。白蓮教は、世の終末の到来を説き、無生老母《むせいろうぼ》という究極の存在を信じることで救われると教えた。この宗教的な絆は、不安定な生活をおくる移住民にとってとくに意味のあるものだった。しかし、清朝にとっては、白蓮教は禁止された「邪教」であり、鎮圧に乗り出すことになる。こうして、追いつめられた白蓮教徒たちは、一七九六年に蜂起した。

この白蓮教徒の反乱は、四川・湖北・陝西の境界地域の社会矛盾を背景としながら、大規模なものとなった。清朝は、その鎮圧に苦心したが、最終的には地元有力者の支持もあって、一八〇四年には反乱を鎮めることができた。

この地元有力者のなかには、移住民のうちの成功者の子孫が多く含まれている。彼らは、一族で結集しつつ相互に協力して、団練《だんれん》とよばれる自衛武装をおこなった。こののち、これら地元有力者が清朝を助けつつ、地域の実権をにぎる過程が進むことになる。

嘉慶帝の治世

一七九六年、これまで六〇年間君臨してきた老いた乾隆帝は、帝位を息子に譲った。乾隆帝の祖父にあたる康熙帝は、在位六一年に達して没したのだが(これは皇帝在位としては史上最長の記録である)、乾隆帝はその康熙帝に遠慮して譲位したのである。三〇代後半で即位したばかりの嘉慶帝《かけいてい》(在位一七九六―一八二〇年)は、白蓮教徒の反乱にまず対応しなければならなかった。そして、一七九九年に乾隆帝が逝去すると嘉慶帝の親政が始まり、長く続いた乾隆治世による綱紀のゆるみを引き締めることが課題とされた。乾隆末年の朝廷で権勢をふるった和珅《わしん》を断罪したのが、それを象徴的に示している。

嘉慶帝．父親である乾隆帝の跡を継いで即位した．乾隆末年の政治のゆるみを刷新することに努めた(『清史図典』8)．

しかし、当時、朝廷にあって翰林院《かんりんいん》編修というエリート官僚の地位にあった洪亮吉は、時政に強い不満を感じていた。彼は、一七九八年、白蓮教徒の反乱への対策を説く意見文を記し、地方官や軍隊の無策と腐敗を指弾した。ついで、翌九九年、嘉慶帝の親政が始まってからも、その治世を乾隆初年と比較して痛烈に批判する文章を著した。嘉慶帝はこれに怒ったが、死刑を免じて洪亮吉を新疆のイリに流した。

とはいえ、その翌年には、洪亮吉は許された。嘉慶帝によれば、洪亮吉を処罰してから意見を申し立てる者は少なくなり、耳の痛い実態を知ることができなくなった、そして、「洪亮吉の論じたことは、朕の心を啓発する力があるので、これを座右に置いて常に見るようにしている」とまで言い(『嘉慶道光両朝上諭檔』五冊、一九六頁)、問題の洪亮吉の文章とこれを許す自分の上諭とを広く臣下に知らせるように命じた。このころ、北京では春の種まき時期に、ずっと雨が降らず、朝廷は雨乞い儀礼をおこなっていた。ところが、嘉慶帝がこの日に作った詩に対して加えた説明によれば、自分で洪亮吉を赦免する上諭を書いたところ、「その夜、子《ね》の刻には恵みの雨が降りはじめ、昼まで降りつづいた。……天が我々の真心を御覧になって反応を示すことは、まことにすばやい。ますます恐れかしこまる気持ちだ」という(仁宗『御製詩』初集巻二七、一五葉)。

ここに表現されるのは、寛大な態度で諫言《かんげん》に耳を傾けて綱紀を粛正し、朝廷の雰囲気を一新しようと努める嘉慶帝の政治姿勢であろう。洪亮吉の処遇をめぐる経緯は、かなり劇的な形で嘉慶帝のそのような意図を示す効果をもったものと考えられる。

嘉慶帝の詩集をみるならば、その文学的価値はおくとしても、詩の題材や自分で加えた注記によって、まじめに政務に取り組もうとする意欲は伝わってくる。とくに、即位してから対応に追われた白蓮教徒の反乱は、常に気がかりだった。洪亮吉の一件よりさき、親政の当初において、嘉慶帝は白蓮教徒についても、次のように述べている。

白蓮教徒の輩《やから》が大勢を集めて事件を起こしたとき、いずれも「官が圧迫したので民がやむなく蜂起した」という釈明をしている。昨年冬に、賊のかしら王三槐《おうさんかい》が護送されてきたが、取り調べのなかでやはりそのように言っている。朕は、これを聞いてとくに不憫《ふびん》で痛ましい気がした。そこで、しばらく死刑とはしない（『嘉慶帝起居注』四冊、六〇頁）。

このように、悪い地方官の存在が反乱の原因だとすれば、それを若き皇帝が処断することで秩序は回復されることになる。このような考えを示すことによって、嘉慶帝は、その清新で慈愛にみちた治世の始まりを印象づけようとしていたのである。

経世思想の展開　清代考証学は「乾嘉《けんか》の学」つまり乾隆・嘉慶時代の学問とも呼ばれる。これを代表する著作として知られるのが、段玉裁《だんぎょくさい》の『説文解字注《せつもんかいじちゅう》』である。これは、後漢の時代に成立した字書『説文解字』を研究して、古代の文字と音韻について考察したものである。今日でも、古い中国語の歴史について考える場合には、まず参照される研究成果である。段玉裁の師にあたる戴震《たいしん》も大学者であり、漢字の音韻の歴史から数学・天文までに成果を残した。戴震は、朱子の教えに異論を唱え、人間の欲望を肯定する思想を表明したことでも知られる。

洪亮吉は実は詩人として名を残した人物であるが、経書研究の分野や、戴震らの学者との交流でも知られる。また歴史地理の著作もあり、先に述べたように人口増加や官僚の腐敗など政治・社会問題についても、鋭い関心を示していた。

段玉裁の外孫にあたる龔自珍《きょうじちん》は、段玉裁のような落ち着いた学者としての生き方に満足しなかった。龔自珍は、客観的な考証よりも主体的実践につながる公羊学《くようがく》を修め、時世を憂い憤慨する思いを詩に表現した。その鬱屈した思念を表すためか、文章も特異な言い回しを多く含む難解なものとなっている。

龔自珍は、一九世紀はじめの西北地理研究の一翼を担った人物でもある。この分野も洪亮吉が先駆となった。嘉慶帝によって新疆のイリに流されたとき、洪亮吉は、実地で現状を書き留めていた。一九世紀はじめは、コーカンドやカザフ、そして背後にあるロシアの動きに注意が向けられ、その意識から新疆など西北方面の歴史地理的な研究が進められるようになった。たしかに考証学の研究手法を受け継ぐところがあるとはいえ、場合によっては具体的な政策提言につながる関心が込められていた。

龔自珍が一八二〇年ごろに書いた文章は、人口増加、天災の続発、財政破綻などへの危機意識をいささか煽動的な調子で表明し、新疆についての地理的な考察とあわせて、過剰人口を新疆に入植させよという提言をおこなった。この建議はすぐには注目されなかったようだが、その後の近代中国において辺境入植を勧める植民地主義的言説の先駆とみることもできよう。

そもそも清代考証学の祖とされる一七世紀の顧炎武は、音韻や歴史の実証的研究を進めるだけでなく、強烈な経世の志を抱いていた。たしかに、一八世紀の学問は、直接的な政治的表現をとらず、考証それ自体を楽しむ態度を示していたかもしれないが、その動向のなかから、洪亮吉・龔自珍のように政治と社会について鋭い問題提起をおこなう人物も現れたのである。

海賊の盛衰

清朝が、広大な版図を征服・支配するにあたって依拠したのは、おもに陸上での軍事力だった。他方で、海に軍事力を展開するのは得意としていなかった。台湾の鄭氏政権の投降後はそれほど海戦の可能性もなかったので、海軍は相対的に軽視され、状況によっては海賊が勢力を伸ばしかねなかった。

沿海に住む人々にとっては、漁業や交易によって生計をたてるのは普通のことであり、船に乗り慣れていた。生活がたちゆかなくなって海賊に身を投じ、交易船や沿海村落を略奪する者だけでなく、海賊に拉致されて自分も海賊になる者がいた。普通は一隻の海賊船が一つの基本

清朝の軍船．19 世紀前半の清朝水師の主力艦船．大砲を甲板から発射する(『兵不可一日不備──清代軍事文献特展』)．

集団となっていたが、ときに有力な頭目が現れて船団を率いるようになる場合もあった。一八世紀末、福建附近に出没した海賊の指導者として知られたのが蔡牽《さいけん》である。嘉慶年間に入り、彼は清朝の海軍と戦闘を繰り返し、ついには台湾府を襲撃した。しかし、その後、追いつめられて死んだ。

広東の状況は、安南《あんなん》(現在のベトナム)の政情と関係があった。一七七一年、安南中部の西山《タイソン》の勢力が兵を挙げ、全国を制覇した。清朝とも抗争するなかで西山朝は海賊を配下に加えて利用した。これが海賊の組織化を促した。今日のベトナム沿海からトンキン湾を経て広東方面に出るには、海南島《かいなんとう》と雷州《らいしゅう》半島のあいだの海峡を抜けなくてはならず、そこから広州のある珠江デルタ地域までにおいても多数の船舶が運送の仕事にあたっていた。これらの船が海賊の標的となった。女海賊の鄭一嫂《ていいっそう》とその夫の張保《ちょうほ》のような頭目は、広東貿易にたずさわる西洋船すら襲う場合があった。清朝は、ポルトガルやイギリスを利用して海賊をおさえようと試みるとともに、投降を促すことで何とか海賊集団を鎮定した。しかし、これら沿海民は、しばらく後には小規模な集団でアヘンの密売を進めることになる。

終末論による蜂起

華北地域には、白蓮教の系譜をひく教派が根強く展開していた。すでに乾隆年間の一七七四年には、山東省内陸部の大運河に近い地域で、王倫《おうりん》の率いる清水教《せいすい》の反乱が起こっている。これは、八卦《はっけ》教の一派と考えられる。八卦とは占いで用いられる八つの要素であり、教団組織が八つの支部に分かれていたことに起源があるのだろう。

八卦教は、嘉慶年間にも反乱を起こした。このグループを天理教徒という。その指導者の一人となる林清《りんせい》は北京の近くで生まれた。父を継いで胥吏《しょり》(役所の文書係)になったものの解雇され、その後は放浪しながら薬草による病気治療などをしていた。一八一一年、林清は河南《かなん》省滑《かつ》県を訪れ、その地で信徒を束ねて頭角を現そうとしていた李文成《りぶんせい》に紹介された。さらに拳法に秀でた馮克善《ふうこくぜん》が加わった。彼らは、信徒を動員して蜂起する計画を練り、まもなく世界の終末が訪れ入信した者のみが救われると説いて宣伝に努めた。

一八一三年、蜂起の日を当時の暦で九月一五日と定めた(これは第二の中秋にあたるからだという)。ところが滑県の知県(県知事)はこの計画を事前に知り李文成を逮捕したので、信徒たちは約束の日を待たずに事を起こして李文成を救出した。その近隣の県でも続々と天理教徒は蜂起した。それを知らない林清のほうは、予定どおりに李文成らの援軍を北京の近郊で待ちつつ、宦官《かんがん》の手引きによって北京の紫禁城《しきんじょう》に教徒を侵入させた。嘉慶帝は熱河方面への行幸から北京に帰ろうとしているところで、宮廷の警備は手薄になっていたが、宮中に侵入した人々はまもなく鎮圧された。林清も捕らえられた。他方、河南省の滑県に立てこもった李文成は官軍に包囲され、ついに敗北した。

この反乱は、宮中にまで直接の影響を及ぼしたため、嘉慶帝や官界に深刻な衝撃を与えることになった。嘉慶帝は、自己反省の言葉を述べざるを得なかった。

> 朕は祖先の徳を受け継ぎ民を愛するような内実のある政治をできていないとはいえ、民を虐げるようなことをしたこともない。突然このような変事に遭遇し、全くわけがわからない。すべては徳が足りず過ちが積み重なったせいで、ただひたすら自分を責めるのみだ(『嘉慶帝起居注』一七冊、三四九頁)。

つづいて、嘉慶帝は、臣下たちにもしっかり気を引き締めて政治にあたるように諭したのだった。

道光帝の即位

一八二〇年夏、嘉慶帝は、熱河の避暑山荘に滞在中に没し、その息子である道光帝《どうこうてい》(在位一八二〇—五〇年)が即位した。道光帝は、かつて林清ら天理教徒が宮中に入り込んだとき防御に活躍した皇子である。彼が後継者であることがわかったのは、嘉慶帝の死によってだった。これは、清朝の皇位継承制度の独自性による。

一七世紀末から一八世紀はじめに清朝の隆盛期をもたらした康熙帝は、自分の皇位を息子に継承させる問題では悩まされた。一度立てた皇太子の品行がおさまらず、その皇太子に取り入ろうとする高官たちの動きも康熙帝の心配の種となった。康熙帝は、結局この皇太子を廃位したものの、今度は他の皇子たちが次の皇位をねらって相互に競うようになった。そこで廃された皇太子を再び皇太子にしたところ、皇太子が陰謀を練っているという気配が現れたので、またしても廃位とせざるを得なかった。

康熙帝が臨終のとき、皇位継承者に指名されて即位したのが、雍正帝である。皇位継承をめぐる争いが政治の不安定をもたらす様子を実見した雍正帝は、皇太子を立てるという方法を採らないことにした。かわりに考案したのは、皇帝が後継者に指名する皇子の名前を誰にも知らせずに記して小箱に入れ、宮殿正面の額《がく》の後ろに置いておくという制度である。そして、皇帝は、皇子たちの挙措をみながら、随時その名前を書き換えることもできるから、皇子たちは、立派な統治者となるように努力しなければならない。

しかし、雍正帝の次の乾隆帝は、一度は後継者指名をしたものの、その皇子のほうが先に世を去り、さらに生前に別の皇子（つまり嘉慶帝）に譲位したので、その独特の制度を十分に生かしたとはいえない。

道光帝．政務から離れ，竹を背景に歴史書を手にして何かを思う姿が描かれている（『清史図典』9）．

嘉慶帝は、その後継者の名前を記した文書を入れた箱を避暑山荘のある熱河まで持参していたので、大臣たちはこれを開けて、後継者が誰かを知ったのである。

こうして即位した道光帝が引き継いだのは、さまざまな面で従来の統治機構が制度疲労を起こしつつある国家だった。とくに深刻だったのは、財政危機である。道光帝は、宮中の贅沢をつつしみ倹約に努めた。しかし、財政問題は、末端の行政における弛緩とも関係しており、単なる節約ではなく、地方行政における具体的な対策が求められていた。

道光帝は、この現状を意識して行政の立て直しに努力した。たとえば、張集馨《ちょうしゅうけい》という官僚が四川の警察・司法を担当する按察使《あんさつし》として赴任するにあたっては、かなり立ち入った内容の訓辞を与えている。四川では重大な犯罪が多く発生しているが、死刑の判決を下すのを避けていては事件の被害者は浮かばれない。しっかり自分の考えをもって、厳格に対処しなければならない。また四川はチベットに至る駅伝があるが、その馬は定数どおりに備えられていない。検査しようとしても、その場だけごまかすに違いない。もし文書が届くのが遅れたら責任者を一人か二人弾劾すれば、おのずから気をつけるだろう。そして、次のように訓辞したという。

赴任したら万事きちんと引き締めよ。朕は逐一挙げてくどくど説明しないで、たとえで言おう。ある人の大きな家が年月とともにあちこち崩れたりはがれたりするので、住人は随時補修し、それで自然ときちんとした様子になる。もしも壊れるにまかせていたら、きっと大規模工事が必要になるだろう。この話は、もっと大きなことにも当てはまる。予防の対策をとっておけということだ(『道咸宦海見聞録』八九頁)。

このとき道光帝自身が意識していた「もっと大きなこと」とは、清朝という国家の安寧だったのかもしれない。

積極的な施政の試み

道光帝の信任を得て、地方行政の改革を進めた官僚として、陶澍《とうじゅ》や林則徐《りんそくじょ》を挙げることができる。彼らが改革を進める対象となった任地は、安徽《あんき》・江蘇《こうそ》・湖北などである。

まず塩の専売制度の改善がある。当時、江蘇省北部の海岸には重要な塩業地があった。政府は、これを専売にして税収をあげていたが、密売がその障害となり始めていた。実は、塩業に対しては行政経費や慈善事業にあてるため各種の付加的徴収がなされ、塩の販売価格が高くなりがちだったのである。また、運搬・販売を請け負わせた特権的な塩商人が困窮し、税が払えないという事態もみられるようになっていた。そこで陶澍は北京の官僚の意見も取り入れながら改革を進め、塩の価格を下げ、密売の取り締まりを厳しくしようとした。一部の地域では塩の販売を一般商人に任せる制度を導入することに成功した。

漕運《そううん》の改革も重要だった。漕運とは、江南などから米の現物で税をとり、それを大運河で北京近くまで輸送する官営事業だった。その問題点は、徴税や運搬の過程で小役人がさまざまな追加徴収をおこなっていたことにある。陶澍や林則徐は、これに対して根本的な改革を加えることはできなかったが、事態の改善を心がけた。

しかも、大運河は黄河の流れの変動による影響を受けていた。黄河は、大量の土砂を含んでいるため下流にこれを堆積させ、長い歴史のあいだには河道を何度も変えてきた。一九世紀にはいるころから黄河の堤防がしばしば決壊していたが、ついに一八二四年の大決壊の結果、大運河の通航が困難となった。このとき、かわりに海運を採用することを主張したのが、陶澍や林則徐である。そこで、一八二六年には税として集められた米は、上海から天津まで海を通って運搬された。実は運河についての既得権益などから反対も強く、海運はすぐ廃止されたものいえる。

の、この政策はその後の一九世紀後半に漕運がしだいに海運に改められていく先駆となったと

治水は非常に重要な課題だった。陶澍は江蘇巡撫《じゅんぶ》に任じられたときには、江南の水利事業に取り組んだ。この地域は、非常に特殊な水文《すいもん》条件をもっており、しかも豊かな農業地帯でもあった。この地域の水利にとって要となる太湖《たいこ》からは、いくつもの河川が流れ出て、東の海に至っている。平坦な地形であるため流れはゆるやかで、河に含まれる砂土が沈殿・堆積しやすい。ところによっては海潮の影響を受けることもある。つまり、引き潮が砂を流すこともあるが、上げ潮が砂を押しとどめるかもしれない。また、もともとは水がたまっていた土地を人々が勝手に農地にかえてしまい保水機能を低めてしまっている。こういった理由が重なって、河道が塞がり洪水が起こりやすくなっていた。他方で、この地の稲作は、太湖や河川の恩恵を得ているので、洪水を心配するだけではなく、水不足にも備えなくてはならない。

陶澍は、これまで水利を議論した者は「往々にして全体像を見ないので、たまたま流れがつまると、本流を治水せず、別に支流をつくり、一時しのぎとしてきました。そこで、支流はますます分かれてゆき、本流は次第に塞がってしまったのです」と指摘した（『陶文毅公全集』巻二八、八―九葉）。そこで、現地調査を踏まえた詳細な工費見積もりののち、財源を捻出して呉淞《ごしょう》江《こう》の河道を浚渫《しゅんせつ》する工事を実行した。つづいて、陶澍が両江総督に昇進して数年すると、林則

徐が江蘇巡撫となり、ふたりで協力して江南の水利事業を進めた。

さらに、陶澍や林則徐は、水害や旱魃《かんばつ》など災害が発生した場合に、地元の有力者に寄付を出させて貧民を救済するという仕組みをつくることにも意を用いていた。

以上からわかるように、陶澍や林則徐は、実態を大局から把握したうえで現実的な立案をおこない綿密に実施するという手法によって、地方の具体的な問題に意欲的に対処しようとしたのである。その改革の方向性は、一九世紀後半の清朝の体制建て直しを一部先取りした側面も含んでいる。

4　アヘン戦争

アヘン貿易の起源

アヘンの輸入は、清朝の内政において論議の対象となっただけでなく、イギリスとの戦争をひきおこす大きな要因となった。そこで、少し時代をさかのぼって、アヘン貿易の展開と清朝のアヘン対策の流れをみておきたい。

ケシは、すでに唐宋の時代から薬剤として使用され、中国大陸でも栽培していたとされるが、アヘンを吸飲するというのは一七世紀に始まる。アヘンは、ケシの実(未成熟なもの)を傷つけたときに出てくる汁から作られる麻薬である。はじめは煙草《たばこ》に混ぜて消費していたが、のちに特別な煙管《きせる》を用いて吸飲するようになった。一七世紀から一八世紀にかけて、デカン高原で生産されたマルワ・アヘンは、インド西海岸からポルトガル人などによって輸出され、澳門《マカオ》を通じて清朝の国内にも流入していた。

一七二九年、雍正帝はアヘンの販売とアヘン窟《くつ》(アヘンを吸わせる店)の経営を禁止した。嘉慶帝も、アヘン貿易を禁止する方針を明確にして繰り返しアヘンの禁令を出したが、実効性に乏しく、むしろインドからのアヘン輸入は増えていった。

その背景にあるのが、イギリス東インド会社によるインド支配の進展である。七年戦争の一環として、一七五七年、イギリスはプラッシーの戦いで勝ち、ベンガルでの支配権を確立した。イギリスが拠点としたカルカッタは、インド東部でとれるアヘンの集散地となり、一八世紀末には、東インド会社がこの地域のアヘン専売を開始した。その税収はイギリスのインド政庁にとって小さくなかった。マルワ・アヘンは、この専売を脅かしており、マラータ戦争によりイギリスの勢力がデカン高原やインド西海岸をおさえても、マルワ・アヘンを統制しきるのは難しかった。結局のところ、激しい競争のなか、アヘンの価格は下落し、そのなかで利潤を得ようとして、ますます多くのアヘンが清朝にもたらされることになった。

清朝とイギリスの貿易

一九世紀はじめ、イギリス東インド会社が広州での貿易で買っていた主要な産物は茶だった。そのかわりに東インド会社はイギリス産の毛織物を広州に運んできたが、その売れ行きは期待どおりにゆかず、結局のところ、銀で決済することが求められた。他方で、イギリス人の地方貿易商人(カントリー・トレーダー)たちは、インドのグジャラート地方の綿花や東南アジアの特産物を広州に運んできた。東インド会社は、アヘンが清朝の禁制品であることを承知していて、アヘンを自社の船に積み込まないようにしていたので、一九世紀に入り増加したアヘン輸送は地方貿易商人が担ったのである。

また、東インド会社がイギリス本国と清朝との貿易を独占する権利を握っていたので、地方貿易商人たちは、イギリス向けの茶貿易にたずさわることはできなかった。地方貿易商人がアヘンを売りさばいて銀を得ても、広州にはあまり仕入れたい商品がなかった。そこで地方貿易商人は、手に入れた銀で東インド会社が発行する為替手形を買って送金にあてた。東インド会社は、その銀で茶を買い付け、茶をイギリスに運んで得た代金によって、ロンドンで為替手形の決済に応じたのである。このように、東インド会社と地方貿易商人の貿易活動は結びついていた。

しかし、一九世紀にはいるとアメリカ商人が盛んに広州に至ってイギリス人にとって手ごわい競争相手となり、東インド会社の貿易の効率性が問題とされた。さらにイングランド北部の工業地帯を中心に、世論も独占をきらう態度を明確にするようになった。自由な通商が、やみくもなまでに理想とされたのだった。こうして、一八三三年、イギリス議会は東インド会社が中国貿易を独占する特権を翌年から廃することを決めた。

ネイピアの紛争

これまで東インド会社が駐在させた管貨人委員会という組織が広東のイギリス人をとりまとめていたが、独占廃止にともないそれも改めて、政府から官員を派遣することにした。こうして選ばれた貿易監督官ネイピアに対し、外相パーマストンは慎重な態度で広東の官僚と折衝することを訓令した。

一八三四年七月に澳門に着いたネイピアは、清朝側への事前通告なしに広州のファクトリー(商館地区)に至った。しかも、訓令の一項目にこだわり、自己の到着を直接に清朝側に文書で伝えようとした。しかし、外国人の文書はすべて清朝側の特許商人を通じて官憲に渡すという定例に反していて、清朝側の拒絶をうけた。対立はファクトリーの包囲と貿易停止という事態に至った。ネイピアは、艦船二隻を広州近くの黄埔《こうほ》まで進ませて軍事的に威嚇したが、結局は病を得たネイピアが引き下がることになった。この決着の背景には、貿易の再開を望むイギリス商人の一部がネイピアの強硬策を支持しなか

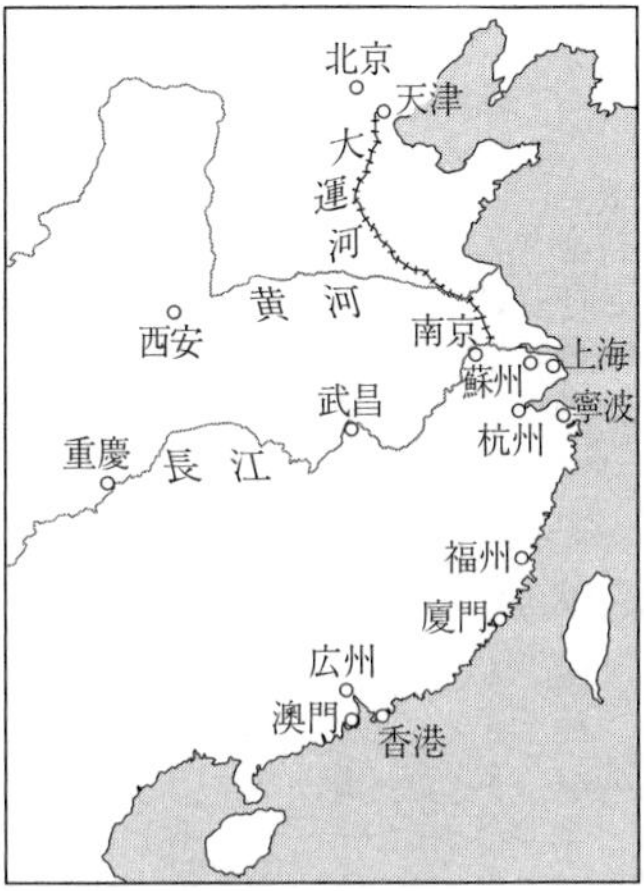

海洋・河川ぞいの都市

ったという事情もある。

この紛争のなかには、さまざまな要素が含まれている。まず、イギリス政府が派遣した貿易監督官は、広東の地方官僚とどのような関係にあるべきなのかという点について、容易に共通の了解を得られなかったことである。これは、文書の様式や伝達、会談における椅子の並べ方などにおける対等性をネイピアが要求したことによる。彼は、あくまでイギリス政府の代表として振る舞うことを意識していたものと考えられる。マカートニー、アマーストと同様に儀式・作法をめぐる対立である。

また、イギリス側は、安全な拠点がないため、ファクトリー包囲のような攻勢に弱かったもののの、いざというときには清朝に圧力をかけられるような軍事的な力量をもつに至っていたことが指摘できる。

ネイピアの一件は、アヘン貿易を直接の争点としたものではなかったが、以上のような対立がアヘン密輸の問題と結びつくとき、アヘン戦争の幕が切っておとされることになる。

アヘンの密貿易と資金の流れ

アヘンの密輸に関しては、取り締まりにあたるはずの清朝の官僚・兵士が賄《わい》賂《ろ》をとって見逃すという事態が広くみられた。むろん、流通の過程では、広東・福建の沿海民が大きな役割を果たしていた。

一八二一年に起こった密輸事件をきっかけとして、両広総督阮元《げんげん》は取り締まりを強化し、アヘンを積んだ外国船は退去させられた。しかし、この後、アヘンの密輸はかえって清朝官憲による統制のとれない領域でおこなわれるようになった。その舞台となったのが、珠江河口のすぐ沖合にあたる零丁洋《れいていよう》に停泊していた躉船《とんせん》(倉庫として使われる船)である。アヘンなどの商品を運んできた外国船は、この躉船に積み荷をおろす。沿海民など密輸をする者たちは、広州のイギリス商館で支払いを済ませたあと、引換証を受け取って快速の船で躉船に向かい、アヘンなどを手に入れるとすばやく立ち去るのである。このようにしてアヘンの密貿易は、一八二〇年代にはますます盛んになっていった。

貿易額が大きくなると、東インド会社が発行する手形だけでは地方貿易商人の送金に不足するようになった。ここで意味をもつのは、アメリカ商人の活動である。このころアメリカ合衆国は、イングランドの紡績業に対して原料の綿花を供給していた。その決済は、ロンドンで支払われる手形によってなされた。すると、茶を買うために広州に行くアメリカ商人は、銀貨ではなく、このロンドンあての手形を手に入れて持っていくようになり、地方貿易商人は、この手形で本国への送金を果たしたのである。アヘン貿易は、実は、アメリカ南部の奴隷制綿花生産、イングランド北部の紡績業やロンドンの金融市場とも深く結びついていたことになる。

しかし、アヘンの貿易額が大きくなりすぎると、結局は手形で決済するだけではすまなくなった。こうして、銀が清朝から流出することが、大きな社会問題の原因として清朝官僚に論じられるに至った。

銀の流出

ここで簡単に、一九世紀はじめまでの清朝の貨幣制度をみておこう。清朝は財政収支を基本的に銀で計算していた。土地税についても、多くの場合、銀で納めることが要請された(一部の地域・時期の例外はある)。にもかかわらず、清朝は銀貨を鋳造しようとせず、銅銭を大量に発行していたことが注目される。銀は、馬蹄銀《ばていぎん》などの塊として流通し、その重さと純度によって価値が決まった。これらの銀の大半は、一六世紀の日本の銀山、一六世紀以降のラテン・アメリカの銀山に由来するものと考えられている。銅銭は、清朝が自らの年号を入れて鋳造していたもので、丸い形に四角い穴があいている。

民間では、銀は遠隔地との商業、納税や高額の取引などに用いられ、銅銭は人々が日常生活の買い物で使っていた。そして、銀と銅銭の交換も民間業者に任せていて、相場によって交換率が変動していた。

一九世紀はじめごろ、中国大陸の沿海部では外国の銀貨が好んで使われるようになった。おもにスペインがメキシコで鋳造した八レアル銀貨であり、別名をドルといった。アメリカ合衆国も自国の貨幣の名称としてドルを採用したことにも示されるように、このスペイン・ドルは品位が比較的よく、広く流通していたのである。しかし、清朝の官僚は、このスペインの銀貨が馬蹄銀などよりも高めに評価されていることに危惧を感じていた。なぜなら、使うのに便利だからといって外国の銀貨を好むあまり、より純度の高い銀塊と交換すると、銀の実質としては損をすることになるからである。のちにメキシコが独立すると、メキシコ政府の鋳造した銀貨も清朝に入ってきた。ただし、このような銀貨との交換がどれほど清朝からの銀の流出につながったのかは、明確ではない。

いずれにしても銀貨は、一九世紀初頭まで海外から中国大陸に流入しており、清朝の経済を支えていた。しかし、広東からの茶・生糸の輸出が不況に陥り、アヘンの密輸入が巨額にわたるようになると、逆に馬蹄銀などがアヘン代金として流出するようになった。

スペイン・ドル．スペインがメキシコで鋳造した銀貨．発行量が多く純度も安定していたので，南北アメリカ大陸だけでなく中国大陸沿海部や東南アジアでも広く用いられた．この写真(左)の図柄は，ジブラルタル海峡をかたどった絵であるが，中国語では「双柱」と呼ばれた(三上隆三『円の誕生(増補版)』).

これについて、官僚たちが問題とみたのは、人々の納税が困難になることだった。人々は日常生活では銅銭を用いているが、税を納めるとき銀に換えることになる。ここで、銀が不足して銅銭に対して相場が高くなると、銅銭で勘定したときの負担は増えることになる。

銀の不足などの貨幣問題は、実は国際的な金融動向に由来していた。清朝の官僚は知らなかったことだが、一九世紀初頭は欧洲・インドで銀価格が上昇したのに対し、アメリカ合衆国政府は一八三四年に銀の交換比率を安めに調整して自国に金を引きよせようとした。こうして、それまで広東にスペイン・ドルをもたらしていたアメリカ商人は、銀貨を入手できず、前述のように手形を持ってくるようになったのである。

アヘン政策をめぐる論争

嘉慶帝ははっきりとアヘン中毒の危険性を認識していた。一八一四年の上諭では、次のように述べている。「アヘンというものの毒性は強烈だ。これを服用するのは、いずれも邪悪な者で、なんでも勝手放題の振る舞いをする。ずっと吸っていると体力が衰え、必ず寿命を縮めることになるだろう。まさに毒薬を飲むのと同じだ。次々に広まっていくなら、人の心、民の俗を最も害することになる」(『嘉慶道光両朝上諭檔』一九冊、三七二頁)。そして、これを元から絶つために、広東での輸入を取り締まることを命じた。

しかし、問題なのはアヘン輸入だけではなく、一九世紀にはいると国内でもアヘン栽培が広まりつつあったことだった。アヘンが問題とされる理由も多様化し、銀の流出による経済的な危機のほか、アヘンが兵士に広まることによる軍事力の弱体化といったことも指摘されるようになった。

一八三六年、太常寺少卿《たいじょうじしょうけい》(北京の中央政府の官職)許乃済《きょだいさい》が、アヘン対策に関して大胆な上奏をおこなった。これは、アヘン禁止を弛《ゆる》めるという趣旨なので、のちに弛禁《しきん》論と呼ばれる。具体的には、アヘン貿易を合法化して関税をかけ、しかも、そのアヘンにみあう物品との交換のみを許して銀でのアヘン購入を認めないという提案である。許乃済によれば、アヘン密輸を禁止しようとしても難しく、むしろ役人の賄賂などの弊害が大きくなっているという。さらには、アヘンを服用する者はろくな輩ではなく、国内人口も全体としては増加傾向にあるのだから、多少の中毒者がいても問題ではないと示唆している。附属の上奏文では、国内でのアヘン栽培を解禁することで、アヘンの輸入をくい止めることも提言した。

この議論は、広東の知識人呉蘭修《ごらんしゅう》の主張に依拠していた。阮元が両広総督だったときに、学《がく》海堂《かいどう》という書院を設けたが、呉蘭修はこの学海堂につどう文人・官僚予備軍のなかで有力な一人だった。許乃済は広東の出身ではないが、呉蘭修の意見にもとづいた許の上奏は、やはり広東の利益につながる意味あいをもっていた。許乃済の上奏は密貿易をなくすことをめざすものだが、結局は、欧米との交易を広州に集中させる体制を立て直し、しかもアヘン貿易の利益を広州の商人にもたらすはずだったからである。

広東の利害ということをさておくとしても、許乃済の提案は、アヘンの密輸を止めるという点では、実現可能性の高いものだった。商人団体にアヘン流通を請け負わせることで、はじめて官による統制ができると予想されるからである。

朝廷が、この許乃済の提案に対する検討を広東駐在の官僚に命じると、両広総督鄧廷楨《とうていてい》らはアヘン輸入の解禁に賛成した。しかし、北京の官僚のなかからは、許乃済への批判があいついだ。禁令をきちんと守らせることができず、かえって禁をゆるめようとするのは本末転倒だという意見である。このような原則主義的な指摘をうけて、鄧廷楨らも、アヘン解禁策をすてて、禁令の励行という立場に戻らざるを得なかった。

アヘン吸飲への厳罰論議

アヘン合法化による流通統制が認められないとすれば、アヘンの密輸を防ぐ方法としては、厳罰主義に傾かざるを得ないだろう。

一八三八年、鴻臚寺卿《こうろじけい》(北京の中央政府の官職)黄爵滋《こうしゃくじ》は、アヘンを吸う者を死刑にすべきことを上奏した。アヘン中毒になっている者には禁断症状の苦しみがあり、死罪でおどすほかアヘンをやめさせる方法はない、そして、もし誰もアヘンを吸わなくなれば、自然とアヘンが外国から入ってくることもなくなるという意見である。黄爵滋は、一年を期限としてアヘン吸飲を禁じ、それでもやめなければ死刑にすることを献策したのである。

後世の学者は、許乃済の弛禁論に対して、黄爵滋の提案を厳禁論《げんきんろん》と呼んで対照させてきた。しかし、許乃済と黄爵滋の観点には、共通している点もある。まず、銀の流出が民の生活に打撃をあたえ、財政危機をもたらしている現状にどのように対応するのかという問題意識が明確に示されていることである。そして、かりに海外貿易を禁絶したり、密輸の取り締まりを厳しくしたりしても、盛んなアヘン流通をおさえ込むことは難しいという認識でも一致している。結局のところ、一般の人々のアヘン中毒を政権としてどのようにとらえるかという違いから、大きく異なる対策を提示することになったのである。

道光帝は、黄爵滋の上奏に対する意見を述べるように地方の大官たちに命じた。その回答はみなアヘンを厳しく禁止することを主張しているものの、黄爵滋上奏の核心部分、つまりアヘン吸飲する者を死刑にせよという提案には、反対意見のほうが多数を占めた。

たとえば、直隷《ちょくれい》総督代理をしていた琦善《きぜん》は、アヘンを吸う者を死罪とするというのは、刑罰が重すぎることを指摘した。最も悪いのは海外からアヘンを密輸する者なのであり、法律論からすればアヘンを吸う者は主犯とみなせないというのである。さらに、琦善は、アヘンを吸う者をすべて死刑にするなどというのは、現実性のある政策なのかという疑問を呈している。

清朝では死刑はむろん最高刑であり、この刑の執行を最終決定できるのは皇帝だけという原則がとられていた。その背景には、審理を慎重にして、過度に重い刑罰を与えないように努めるのが仁政であるという理念も存在していた。それゆえ、アヘン吸飲者を死罪とする提案は過酷なものと指摘する意見が多いのも当然であろう。

両江総督陶澍《とうじゅ》の答申は、黄爵滋の意見には基本的に賛成している。しかし、殺人のような重罪とアヘン吸飲とを同じように極刑にあてるのは、朝廷がやむなく厳罰で威嚇することだと述べていて、刑罰の極端な重さにとまどう考えも示唆している。

湖広総督林則徐も、黄爵滋による提案に賛成していた。林則徐は、アヘンの害は大きく、思い切った手段をとらなければならないと言い、死刑によって人々を恐れさせることが大切だと指摘した。そのために、吸飲器具を没収したり、一年の猶予期間を四つの時期に分けて、次第に重い刑罰を科すという方法を考案したりしている。さらに、アヘンをやめるための薬について自分で研究した結果を詳しく皇帝に上奏した。

これに対する朝廷の判断をまたずに、林則徐は自分の管轄地域でアヘンおよび吸飲器具の没収・焼却と中毒をなおす薬の配布を進め、道光帝もそれを高く評価した。

広東に派遣される林則徐

黄爵滋による提案に対する意見がそろったところで、道光帝は、中央の高官が刑部と相談して法令を作るように指示した。そして、以前に弛禁論を提起した許乃済は降格処分とされた。その際に、道光帝は「朕はこの〔アヘン〕問題については、まさに痛恨の極みである。必ずや根絶し、将来に禍根を残すまいと願う」と決意表明した（『嘉慶道光両朝上諭檔』四三冊、三五五頁）。

そして、林則徐は朝廷に呼び出され、謁見をたまわった。林則徐の日記によれば、合計して八回の謁見があったが、話題の詳細はわからない。いずれにしても、議論の中心はアヘン対策だったに違いない。この間に、林則徐は、欽差《きんさ》大臣《だいじん》（皇帝の任命で特別に派遣される大臣）として広東にゆくことが命じられた。その後の林則徐の行動から推測すると、このときの道光帝の指示には、イギリス人のアヘン密輸を取り締まれという点が含まれていたと思われる。

とはいえ、黄爵滋の主張に対する意見としては、林則徐は外国からのアヘン密輸への対策を全く述べなかったのに対し、他の上奏者の多くは密輸取り締まりを重視していたのだから、道光帝がなぜ林則徐を選んで広東に派遣したのか、わかりにくい。道光帝は、とくに信任する林則徐に、広東での密輸取り締まりという困難な仕事を任せようとしたのかもしれない。

林則徐のアヘン没収

一八三九年三月、林則徐は広州に着くと、まずアヘンと吸飲器具の没収を進めた。つづいて、外国人の商人に対して、三日以内にアヘンをすべて官に引き渡すこと、今後はアヘン持ち込みをせず、もし持ち込んだら死刑になってもかまわないという誓約書を提出することの二点を要求した。

イギリス政府を代表してこれに対応したのが、貿易監督官チャールズ・エリオットである。エリオットが澳門から広州のファクトリーに入ると、林則徐はこれを包囲・封鎖した。そこでエリオットは、やむなくアヘンを引き渡し、包囲が解かれると澳門に戻った。

林則徐は、没収した二万箱余りのアヘンを処分するのに、新しい方式を採用した。ただ地面に置いて焼却するだけの場合、アヘンの成分の多くが土中に残ってしまい処理が不完全になる。そこで、海沿いに穴を掘って水を入れ、塩分と石灰によってアヘンを化学処理し、これを引き潮にのせて海に流した。

この様子を多くの者が見ていたが、それは林則徐がアヘンを横流しせずにきちんと処理したことを示すとともに、アヘン禁止政策を徹底させる意志を宣伝することにもつながっただろう。林則徐によれば、これを見に来たアメリカの商人キングらは、林則徐らにむかって帽子をとって挨拶し、畏服の態度を表したという(『鴉片戦争檔案史料』一冊、六二一頁)。

このアヘン没収と廃棄は、林則徐が湖広総督のときにおこなった手法の延長として理解できる。また、アヘンを持ってこないという誓約書を求める姿勢にも、死刑でおどすという発想が含まれていて、これも林則徐が黄爵滋上奏に対する意見のなかでアヘン買売の取り締まりについて述べた対策を応用したものといえるだろう。すなわち、林則徐は、自分が国内向けに考案して一定の効果のあった方策を改変しながら、外国人のアヘン密輸への対策を考案していたようである。

このうち、アヘンの没収は林則徐の要求どおりになったが、アヘン貿易をしないという誓約書の提出はイギリス側が拒んでいた。そもそもエリオットとしては、自国の商人にアヘン貿易をしたら死刑になってもよいという文書を書かせるわけにはいかなかった。イギリス人に対する清朝の処罰権限を認めることになるからである。

戦争の序幕　そこへもう一つの事件が起こった。一八三九年七月七日、香港島のすぐ対岸にあたる九竜半島突端の地区でイギリス人水夫が地元の男性を殴って殺害してしまった。林則徐が犯人の引き渡しを求めたところ、エリオットは拒否した。そこで、林則徐はイギリス人が拠点とする澳門への食糧供給を断ったので、イギリス人は澳門から海上に逃れざるを得なかった。九月四日、エリオットの乗った船が九竜半島に近づいたところで、その船と清朝側の砲台とが砲火を交えた。

そしてついに、一一月三日、珠江の入り口にあたる川鼻《せんび》で両軍の艦船が交戦することになった。清朝側はかなりの損害を受けたが、林則徐は朝廷に対しては戦勝の報告をおこなった。こうして、戦争の序盤戦が始まったのである。しかし、林則徐は広州防衛のための軍備を進め、イギリス側も援軍の到着を待っていたので、しばしの膠着状態となった。

このころ、イギリス政府は、パーマストン外相を中心に遠征軍の派遣計画を進めていた。一八四〇年四月八日、庶民院では、戦争を始めたイギリス政府を批判するグレアム議員の動議について討論された。ここで、グラッドストーン議員は戦争の正当性について疑問を提起した。翌日も質疑は続き、外相パーマストンは、中国との貿易にたずさわる商人からの請願書を示しながら政府の立場を説明した。議事録によれば、グレアムがなおも発言しているなか議場じゅうから「票決せよ」「まだ質疑だ」との叫び声が起こり、議長の注意にもかかわらず「票決だ」の声が収まらなかった。結局、二六二票対二七一票の九票差で、遠征軍を派遣するという政府の主張が支持された。

イギリス側の描いたアヘン戦争．東インド会社の派遣した蒸気船ネメシス号(左)と清朝水軍．イギリス軍は，小規模なボートに大砲を載せて攻撃しているように見える(『西洋銅版画与近代中国』)．

琦善の交渉

イギリス政府は、議会の通過に先立って、インドなどから艦隊を派遣する準備を進めていた。一八四〇年六月には南西の季節風にのって広東の近海にイギリス艦隊が集まった。その艦船は大小あわせて一六隻であり(いずれも帆船)、そのうち大砲七〇門以上を備えた軍艦は三隻あった。また東インド会社も武装汽船四隻を送っていた。イギリス海軍の実力からすれば、それほどの大艦隊ともいえないかもしれないが、林則徐にとっては、これほどの兵力が来るとは予想外だっただろう。

イギリス艦隊は、広州を攻めずに北に進み、浙江《せっこう》省が管轄する舟山《しゅうざん》群島の定海《ていかい》を占領した。さらに北上して渤海《ぼっかい》湾に入り、海河の河口にある大沽《だいこ》に至った。ここから海河を少しさかのぼれば天津である。この地を管轄する直隷総督となった琦善は、大沽でパーマストンの書簡を受け取って朝廷に報告した。

朝廷からすれば、北京のすぐ近くまでイギリス艦隊が迫ったということから、落ち着いてはいられなかった。琦善は何とか交渉してイギリス艦船を広東方面に立ち去らせた。イギリス人が林則徐を批判しているという琦善の報告を受けた道光帝は、林則徐が戦争の原因をつくったことを責めて任務をとき、かわって琦善を欽差大臣として広東に派遣して、交渉の続きをおこなわせることになった。

広東に至った琦善の立場は苦しいものだった。条約締結をせまるイギリスの要求は強硬で、かといって安易に妥協すれば皇帝からどのような処罰を受けるかもわからない。結局、交渉がまとまらないので、一八四一年一月、イギリス軍は攻勢にでて、広州に至る海路の入り口のところにある虎門《こもん》の砲台を占領した。ここに再び本格的な戦闘が開始されたのである。

この軍事的圧力のもとで琦善はエリオットと交渉を進めた。しかし、朝廷は琦善の譲歩的姿勢に不満で、ついに琦善を解任・処罰する決定をくだした。これではイギリス側も後に引くことはできない。しかも、エリオットも妥協的な姿勢をとがめられて解任され、ポッティンジャーに交代させられた。ポッティンジャーは、軍を北に進めて廈門《アモイ》・定海・寧波《ニンポー》・上海・鎮江《ちんこう》をおとし、南京に迫った。

ここに清朝も敗北を認めて講和の交渉に入り、一八四二年八月二九日、イギリス軍艦コーンウォリスの上で和約一三条が調印された。これはのちに南京条約と呼ばれるようになる。

南京条約のおもな内容は、⑴五つの港(広州・廈門・福州・寧波・上海)を貿易のため開き、イギリスはそこに領事をおく、そしてイギリス商人は家族でその五港に住んでよい、⑵香港をイギリスに割譲する、⑶清朝は、林則徐が没収したアヘンを弁償し、戦争にかかった費用もあわせてイギリスに支払う、といったものである。

条約締結の意味

南京条約で注目されるのは、両国の対等性を示そうとする工夫がなされていたことである。漢文版では、清朝皇帝(道光帝)は「大清大皇帝」と記され、イギリス女王(ヴィクトリア)は「英国君主」と表現されている。ここでもし、「英国王」という言い方をしたなら、漢文の意味体系からして「皇帝」よりも地位が下になってしまう。おそらくイギリス側の要求によって、意図的に「王」をさけて「君主」という称号が選ばれたものと推測される。また、両国の官員が文書をやりとりする場合に、同格であれば、対等の文書様式にすることが条約第一一条に規定された。かつてネイピアが苦心した点に、ようやく解決のめどがたったのである。

この南京条約は、比較的簡単なものだったので、イギリスと清朝は五港通商章程や虎門寨追《こもんさい》加条約(ともに一八四三年)によって具体化させた。また、その他の国も清朝との条約を希望したので、清朝はアメリカと望厦《ぼうか》条約(一八四四年)、フランスと黄埔《こうほ》条約(一八四四年)を結んだ。

これら条約のうちで注目すべきなのは、領事裁判権である。領事裁判権をもつ国の市民が清朝の領土において犯罪容疑で逮捕された場合、裁判はその者の所属する国の領事が担当するという規定である。また、通商にともなう関税率は協定に書き込まれたため、清朝が自由に変更することはできなくなった。さらに、清朝は各国に対し、最恵国待遇を認めた。最恵国待遇とは、清朝が他国に認めた特権を同じように獲得できるという地位のことであり、このときは清朝が一方的に、しかも無制限にこの待遇を条約で許したのである。

これらの条約は、後世になると「不平等条約」とみなされ、たとえば領事裁判権の撤廃は二〇世紀前半の中国外交にとって悲願となっていった。しかし、一八四〇年代の諸条約が結ばれた当時は、これらを「不平等条約」とみなす発想は、存在しなかったといってよい。清朝にあっては、国家間の平等といった考え方自体になじみが薄く、むしろ外国人をなだめるために一時的に譲歩したものと説明されがちだった。

南京条約が結ばれたとき、北京で高級官僚としての経歴を始めたばかりの曾国藩《そうこくはん》は、郷里の湖南《こなん》省にいる祖父母に対する手紙のなかで、次のように述べている。

イギリスの夷人《いじん》は江南にいて、すでに和議が成りました。思うに、南京は南と北をつなぐ急所であって、我々に刃向かう夷人〔イギリス〕はもうその急所をおさえて要害を占拠しています。とりあえずの方便として戎《えびす》と仲良くする方策をとり、戦争をやめて民を安んずるようにせざるを得ないのです。……もし夷人が今後はずっと辺境をおかさず全国が安心して暮らせるなら、〔孟子がいうように、仁を重んじる寛大な態度の〕大国が小国にへりくだるのは、天命を楽しむ境地であって、上策といえるでしょう(『曾国藩全集』家書、一冊、三三一―三三二頁)。

しかし、条約で認めたことは、気まぐれに取り消せる恩恵ではなく、実は相手の権利として尊重しなければならない。このことは、まだ清朝の官僚たちの大半に、厳密に理解されてはいなかったようである。そもそも武力で迫って結ばされた条約なのだから、そのような遵法精神が養われにくいという事情もあったかもしれない。

南京条約は、清朝の対外関係史において画期的な意味をもつと我々からは見えるのだが、そのことを清朝の人々はあまり実感していなかったのである。なお、アヘン貿易については、南京条約など一八四〇年代の条約には明記されず、清朝側が一定の範囲で見のがすことになった。

ペリー提督の意見

アヘン戦争の意味について、もうひとつの意見をみておこう。アメリカ東インド艦隊司令長官のマシュー・ペリーの意見である。ペリーは、一八五四年、日本の徳川政権と日米和親条約を結んだことで知られている。彼が、一八五六年に書いた論文には、アヘン戦争は、「あまり称讃に値しない原因で始まった戦争であるにも拘《かかわ》らず、結果においては中国ならびに通商世界全体に大きく貢献した、と一般的に認められている」と指摘しながら、実のところ、イギリスは、もっと戦勝を利用して成果を引き出すべきだったと述べている。

この機会を利用してイギリス政府が、中国全土にもっと自由な政治制度を確立させ、平和時にはすべての文明国家間に存在するような公正かつ友好的な関係樹立を無条件に認めさせていれば、もっと賢明だったし、おそらく結局は慈悲深かったのではなかろうか。例えば、外国公使の北京の宮廷への参内許可、中国全土における外国人の身の安全と財産保護、中国政府の妥当な法律と抵触しない限り人権と信仰権の自由を確保する等々を中国に承認させるべきだったのではないか。もしあともう一年戦争を続けていれば、おそらくこれ以上流血を起こさずに、これらのことを達成することができたと思う（『日本近代思想大系１　開国』一六頁、M・W・スティールと太田昭子の訳文による）。

ペリーによれば、アヘン戦争と南京条約は、不徹底な結果しかもたらさなかった。ペリーの立場からして、意識的・無意識的に日本の開国に対する評価を高める傾向があるかもしれず、またこの時期の清朝が太平天国の戦乱のさなかで混乱した状況にあったという背景もある。

しかし、南京条約から十数年を経ても、欧米諸国にとって清朝の姿勢は満足できるものではなかったことも確かであろう。ペリーがこれを書いた一八五六年に起こったアロー号事件をきっかけとして第二次アヘン戦争(アロー戦争)が引き起こされたのは、ペリーがまさに指摘したような不満をイギリスが抱いていたからなのである。

第2章　動乱の時代

湘軍と太平天国軍の戦い．曾国藩が指揮する湘軍(左)は，長江をおさえる要衝をめぐって太平天国軍と戦い勝利した．「平定粤匪図」より(『兵不可一日不備――清代軍事文献特展』)．

1　太平天国

プロテスタント布教

一九世紀初頭、キリスト教を禁じる清朝の立場を知りながら、宗教的な情熱にもとづいてプロテスタントの布教を試みる者が現れた。一八〇七年、ロンドン伝道会のロバート・モリソンは広州に至った。イギリス東インド会社としては、禁じられた教えを説く宣教師の存在が清朝を刺激することを懸念していたが、モリソンは翻訳の仕事を担当することで東インド会社に雇ってもらうことができた。

といっても、布教の方法は限られていた。ひとまずモリソンが重視したのは、キリスト教の教えを説いた書物を中国語で刊行し配布することだった。そのためには、出版や印刷のための拠点が必要となる。ポルトガルが根拠地としていた澳門《マカオ》は、もともとカトリック色の強い場所であるから、都合がよくない。モリソンは、マレー半島のマラッカを活動の場に選び、とくに聖書の中国語訳の出版を進めようとした。マラッカには、教育機関として英華《えいか》書院《しょいん》が設けられた。

モリソンの中国語への深い理解は、一八一五年から二三年にかけて澳門で刊行した辞典にも示されている。それは大型の六冊本からなり、漢字を英語で説明した字典、漢字のさまざまな書体を示した表などを含んでいる。英語から中国語の熟語をひく辞典の巻について、モリソンは序文で、一三年を費やして語彙を集めたが、「さまざまに派生する語句はあまりに多いのだから、英語で使われる語句に正確に対応する中国語の語句を完全に集めることは、一生の長きをかけても個人の手に余る仕事になってしまう」と告白している。

モリソンの布教を受けて信者となった梁発《りょうはつ》は広東の出身だった。梁発は『勧世良言《かんせいりょうげん》』という冊子を作ってマラッカで印刷し、これを広東で配って広めようとした。『勧世良言』は、おもに聖書の抜粋からなるが、儒教への批判など、中国大陸への布教を意図した内容を含んでいた。それほど体系的な著作ではないが、創世記以来の旧約聖書のおもな内容を紹介し、イエスの受難と復活の意味を説明するなど、基本的な教義を伝えるものだった。

アヘン戦争ののち香港がイギリスに割譲されると、香港はプロテスタントの布教にとって格好の拠点となっていった。それまで東南アジアの華僑《かきょう》に布教をおこなっていたプロテスタント諸派は、香港に施設を設け、入信した華僑のつてを利用しながら中国大陸本土に布教を進めることができるようになったのである。

洪秀全のみた夢幻

梁発が広州に持ち込んだと思われる『勧世良言』を偶然手に入れたのが洪秀全《こうしゅうぜん》である。洪秀全は、一八一四年、広州からやや北にいった花県の農民の家に生まれた。

この一家は、客家《ハッカ》という独特の方言と生活文化をもつ人々に属していた。広東語を話す住民から、客家は後から来たよそ者とみられていて、経済的にも比較的条件のよくない土地に入植していたといえる。客家は勤勉で団結力に富むということが、しばしば指摘される。これは一種のステレオタイプではあるが、もしそれが一定の妥当性をもつ説明だとするなら、本来の民族性に由来するというよりも、厳しい生活環境のなかで劣位をはねかえすために養われた資質と考えるべきだろう。

はじめ洪秀全は科挙をめざして勉学に励んだ。科挙を受けるためには、まず童生《どうせい》という資格を得なければならないが、洪秀全は何度かその受験のために広州に出てきて、そのたびに落第した。彼は受験で広州に行ったとき、街頭で配布されていた『勧世良言』を手に入れたが、そのまましまい込んで忘れていた。

その後、またも不合格に落胆して郷里へ戻った洪秀全は、重い病に倒れ、不可思議な夢幻を見た。その夢幻のなかで、彼は一人の老人から剣を与えられて「これで悪魔を滅ぼせ」と命じられ、さらには王者のしるしを受け取った。四〇日間つづく夢幻のなかで、洪秀全は兄である中年の男性に助けられつつ、悪魔と戦った。

今日まで伝えられる夢幻の内容は、洪秀全がのちに語った話にもとづいているようである。とすれば、宗教的指導者としての権威を裏づける説話としての性格が強いと考えられる。話に出てくる老人はヤハウェであり、兄とはイエス・キリストを指しているとみなされる。いずれにしても、洪秀全が重病にかかって、夢うつつのなかで何か暗示的なものを得たということ自体はありうるといってよいだろう。

病気から快復した洪秀全は、すぐにはその暗示の意味がわからなかった。なかなか受験に成功しないため塾の先生をして暮らしていたが、あるとき書棚から『勧世良言』を取り出して読み、夢幻の内容と一致していることに気づいた。こうして、一八四三年、自分に与えられた使命を確信した洪秀全は、新しい教えを説き始めた。とくに偶像崇拝の禁止を重んじ、廟にまつられた孔子の位牌《いはい》も撤去しようとした。

ごく初期に入信したのが、同郷の客家人馮雲山《ふううんざん》と洪秀全の同族の洪仁玕《こうじんかん》である。洪秀全の信じるところによれば、『勧世良言』は自分のために書かれた本で、自分にとっての指針が預言のように示されているのだった。敬うべき対象は、上帝《じょうてい》と呼ばれた。上帝とは、『勧世良言』では英語のゴッドの訳語の一部として使われていたが、たとえば道教の最高神が

洪秀全．彼の肖像は，すべて想像図である．これは太平天国に従軍したイギリス人リンドレーの紹介したもの（リンドレー『太平天国』1）．

「玉皇上帝《ぎょくこうじょうてい》」だったように、なじみのある表現と一致させていたのである。

とはいえ、洪秀全の布教は、郷里ではゆきづまり、彼は馮雲山たちと一緒に新天地を求めて旅だつことになった。

教団形成から蜂起へ

洪秀全と馮雲山は、教えを説きつつ流浪し、広西省《こうせい》に入った。広西省は、現在の広西チワン族自治区にあたる。彼らは、ついに洪秀全の同族を頼って貴《き》県に至り、ここで客家の信者を得た。まもなく洪秀全はいったん帰郷したが、馮雲山は隣の桂平《けいへい》県にある紫荊《しけい》山地区で布教を続け、地元の客家の人々のなかに信者を増やしていった。

この桂平県は、明清時代を通じてさまざまな方面からの入植民によって開発が進められ、広東語や客家語を話す漢人だけでなく、ヤオやチワンなどの人々も多く住んでいた。とはいえ、一八世紀の人口急増のなかで、これらの集団どうし、また一族どうしの争いは激しくなった。すでに成功した一族は土地を買い集めて地主となり、科挙の合格者も出し、廟の祭りをとりしきって勢威をはった。これに対し、競争に敗れた者たちは、不満を鬱積させていたであろう。

馮雲山の布教が成功した理由としては、旱魃《かんばつ》・疫病などにあたって、貧しい人々、没落の不安におびえる人々に対し、上帝による救いを説いたことが考えられる。

他方、洪秀全は、郷里に帰ったあとで、洪仁玕といっしょに広州に赴き、バプティスト派の宣教師ロバーツの教えを受ける機会をえた。彼はこのときに初めて聖書を読んだが、洗礼を受けさせてもらえず、再び広西に戻って馮雲山と合流した。彼らは、廟の偶像を破壊する動きを示し、地元の有力者と対立するに至った。

そして、紫荊山の信徒のあいだでは、新しい宗教的な要素がみられた。上帝が楊秀清《ようしゅうせい》という青年に乗り移り、さらにはイエスがその友の蕭朝貴《しょうちょうき》に乗り移って、いずれも命令を発するようになったのである。このようなことは、キリスト教の立場からすれば奇妙かもしれないが、この地方の民間信仰に含まれるシャーマニズムの要素を踏まえれば容易に受け入れられたのだろう。そして、洪秀全といえども、天父(上帝)や天兄(イエス)の指示に従わなければならないことになった。

天父・天兄は、大災厄の到来を予言し、挙兵の準備を進めるべきことを命じた。こうして、一八五〇年、信徒たちは各地で集団をつくって紫荊山麓の金田村《きんでんそん》に結集してきた。この過程で、地主の組織する団練(有力者による自衛団体)や官兵との衝突が起こり始めた。

ついに、一八五一年三月、洪秀全は即位して天王《てんおう》と号した。これと同時かどうかわからないが、国名を太平天国とした。清朝は軍を派遣して、本格的に太平天国を討伐しようとしたが、太平天国軍の戦意と団結は固く、容易に勝負はつかなかった。

太平天国軍は、馮雲山の戦死をはじめとする犠牲を払いながら転戦を続けた。その過程で、自発的に加わった者と強制して加わらせられた者があわさって、ますます大きな集団となっていった。太平天国軍は、辮髪を切り落として頭を剃るのをやめていたので、清朝からは「髪《はつ》逆《ぎゃく》」(髪を伸ばした反逆者)と呼ばれた。一八五三年、太平天国軍は湖北省の武昌《ぶしょう》をおとし、つづいて長江を下って南京を占領して、これを天京《てんけい》と改称した。洪秀全は、ここに宮殿をかまえて落ち着いた。

太平天国の統治

太平天国のみやこ天京では、厳しい社会管理の仕組みがつくられた。すべての住民の財産を没収して、公有とすることが命じられた。そして、住民を男性と女性とに分けて編成し、夫婦の分離を進めた。男性は兵士として徴発され、女性は纏足《てんそく》(足をしばって小さくする習俗)を禁止されて各種の作業に動員された。ただし、この厳格な管理を長く続けることはできず、のちに夫婦の同居が認められた。

太平天国は常に清朝との交戦に備えている必要があった。一部の兵力は北上して北京をめざし、清朝軍を破って天津の南方にまで到達した。しかし、清朝軍と天津の団練が守りを固めて討ったので、太平天国軍の北征は失敗した。

洪秀全は、歴史上の帝王の行動にならって振る舞っていたが、皇帝に即位することはなく、「天王」という王の称号で満足していた。これは、「上帝」(ヤハウェ)を崇敬する以上、「帝」を自称すべきではないという理由にもとづくのであろう。洪秀全は、多くの妃をもって宮中に閉じこもり、具体的に政務をとることが少なくなった。政権では天父つまり上帝がしばしば乗り移った「東王」楊秀清の権威が高まるなか、これに対する反発も生まれた。ついに、内紛が生じて楊秀清ほか多数が殺害された。

太平天国の統治理念を示す書物が『天朝田畝《てんちょうでんぽ》制度』である。そこには、すべての人民に田畑を割り当てるという社会像が描かれていて、儒教でいう理想的な治世形態の影響を強く受けている。しかし、太平天国が支配した地域において、このような土地分配が実施されることはなかった。実態としては、それまでの土地所有をそのまま認めたうえで、清朝と同様に土地税を徴収して財源としていたことになる。

太平天国軍の髪型(左)と清朝の辮髪(右).リンドレーは,太平天国軍の服装の美しさを描写している(リンドレー『太平天国』1).

一八五九年、洪秀全の同族の洪仁玕が天京に至った。これまで、洪仁玕は洪秀全の蜂起には参加しないまま、洗礼を受けて香港のロンドン伝道会で働いていた。このような体験から洪仁玕は西洋近代の制度への理解を深めており、その知見を『資政新篇《しせいしんぺん》』にまとめて出版した。この本は、西洋諸国との交流を勧め、交通の整備、財政の確立などを提言しようとしたものである。しかし、軍功のない洪仁玕の発言力は限られていた。

後期の太平天国を支えたのが、「忠王」の称号をもつ李《り》

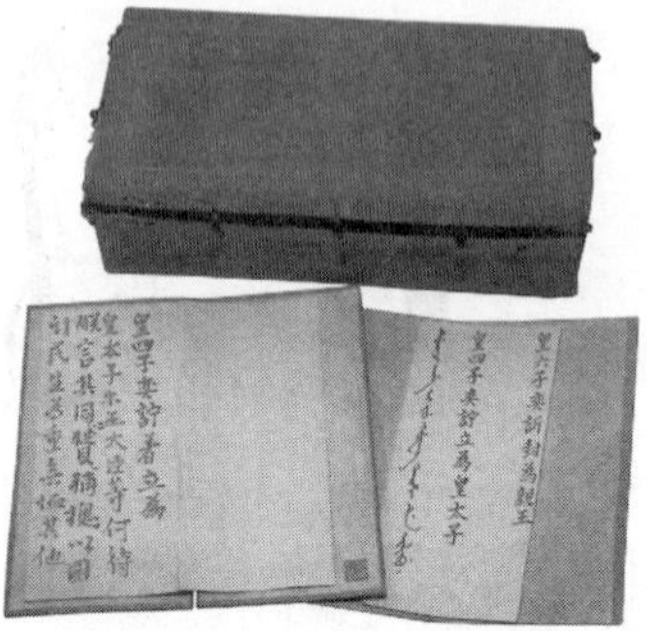

道光帝の後継者選び．道光帝は第四子と第六子のどちらを皇位の継承者とするか迷った．結局は第四子を選んだものの，とくに第六子を「親王」とする遺言を記して，一緒に保管箱に入れた(『清史図典』10)．

秀成《しゅうせい》である。彼は各地を転戦したものの力およばず、太平天国の敗色は濃くなっていった。

曾国藩と湘軍

一八五〇年、道光帝が死去して、咸《かん》豊帝《ぼうてい》(在位一八五〇—六一年)が即位した。ある時点までの道光帝は、慎重な性格の第四子と才気あふれる第六子のどちらを皇位継承者にするか迷っていたが、結局は、第四子に皇位を譲ることにして、第六子は臣下としては最高の地位にあたる「親王」とする遺言を残した。この第六子が、のちに政治的に大きな役割を果たす恭親王奕訢《きょうしんのうえききん》である。

即位したばかりの咸豊帝は、広西で動乱が起こっていることを聞くと、引退していた林則徐を起用して欽差大臣《きんさだいじん》とし鎮定を命じた。しかし、林則徐は、広西にゆく途中で病死した。このようにして、清朝の対応が遅れるなかで、太平天国は勢力を拡大することができたのである。

太平天国が湖南省を経て湖北省に至ったころ、これに立ち向かったのが曾国藩《そうこくはん》である。曾国藩は、北京で順調に出世を続けていた官僚だったが、一八五二年、科挙の試験監督責任者として江西省《こうせい》に出張を命じられた。ところが途中で母が死去したとの一報がとどいた。清朝の官僚は、父母が亡くなったとき二七か月のあいだ官職を離れて喪に服することになっていたので、曾国藩は郷里の湖南省に帰った。このころ、太平天国軍は、湖南省の長沙《ちょうさ》を攻撃したものの落城させることができず、北上して湖北省の武昌をねらっていた。

一八五三年に入り、団練を編成して土匪《どひ》を鎮圧せよとの咸豊帝の命令が曾国藩のもとに届いた。彼は少し迷ったのち、長沙に赴いて、活動を開始した。最も重要な課題は、太平天国に対抗できるような強力な新しい軍事力の創出だった。

曾国藩がつくりあげた湘軍《しょうぐん》は、地元で儒教を学ぶ読書人や科挙受験生に呼びかけて親類・友人など縁故関係で幹部を組織するとともに、なるべく純朴な農民を集めて指揮下に入れるという独特の方式でつくられた。これによって、曾国藩は、団結力と質実剛健な気質にとむ軍事力を手に入れたことになる。湘軍は、地元の警備をおもな任務とする普通の団練とは異なり、他の土地にまで遠征することも意図されていた。また、長江での戦いに備えて水軍も訓練された。いよいよ進撃というとき、曾国藩は戦いの意味を訴えかける檄文《げきぶん》を発した。太平天国支配の残忍さを指弾するとともに、儒教にもとづく社会秩序全体の危機感を表明している。

〔太古の聖王〕堯《ぎょう》・舜《しゅん》や〔理想的な〕夏《か》・殷《いん》・周《しゅう》の王朝の時代から歴代の聖人は名分にもとづく儒学の教えをまもり人倫を尊んできて、君臣父子・上下尊卑は秩序だって、あたかも冠と履き物を逆さまにできないようなものだった。広東の匪賊〔太平天国軍〕は、外国の夷人《いじん》の始めた仕事を盗み取って、キリスト教を崇めている。偽の君主、偽の大臣から兵卒、下働きに至るまで、いずれも兄弟と呼ぶ。天のみを父と呼んでよく、そのほかすべて父親も兄弟、母親も姉妹なのだという。……中国数千年の礼儀・人倫や文学・法規は、一朝にしてすべて無くなってしまうだろう。これは、わが大清の危機にとどまらない。開闢《かいびゃく》以来の名教の一大危機なのだ。わが孔子・孟子もあの世で泣き叫んでおられることだろう（『曾国藩全集』詩文、二三二頁）。

曾国藩．湖南省の人．湘軍を組織して太平天国の鎮圧をはかった（『曾文正公手写日記』）．

曾国藩は、太平天国の寺廟襲撃・偶像破壊にしても、歴史上の賊が示した態度とは全く異なるものだと述べ、「あらゆる廟が焼かれ、あらゆる像が壊された」ことへの怒りをかきたてようとする。未曾有《みぞう》の危機ということを強調したのである。

さらに、この檄文には、そのような理念的な立場表明だけでなく、寄付を募ろうとするため、かなり露骨な取引条件が記されている。寄付額が銀一〇〇〇両以上の者はとくに上奏して報告し、一〇〇〇両以下の者には領収証を発行するという。この上奏報告とは、具体的には官位・官職の推薦を意味し、また領収証とはやはり官位・官職と交換できることが前提となっている。つまり、買官によって軍費を調達するというのである。

また、反乱軍から自ら投降する者にも条件を示している。投降するときにその頭目を殺したり城を清朝側にもたらしたりした者には、自分の部下にして官爵を授けるし、武器を捨てて清朝に降《くだ》った者には死罪を免じるという。

曾国藩は、太平天国が儒教的な倫理・家族秩序を破壊することを指摘して、各地の読書人や有力宗族《そうぞく》を味方につけ、さらに彼らに官位を売ることで財源も確保しようとしたのだった。

湘軍は、相当な苦心をしながら、太平天国軍と戦った。もっとも太平天国のほうでも楊秀清一党の殺害など内部対立が、その基盤を揺るがし始めていた。

太平天国の滅亡

イギリスなどの外国は、当初は中立の立場をとりつつ、太平天国の動向を探っていた。一八五三年、香港総督ボナムは、軍艦で長江をさかのぼり、自ら天京を訪問した。しかし、太平天国側はこれを帰順してきたものとみなし、まして条約の遵守といった考えは理解していない様子だった。イギリスやフランスにとっては、貿易拠点としての上海の防衛が当面の第一目標となった。これに関連して注目すべき動きは、アメリカ人ウォードを指揮官とする常勝軍の成立である。もともとは、外国人を集めて火器で武装させたものだが、まもなく兵士の大部分は採用された中国人になった。

第二次アヘン戦争(アロー戦争)ののち北京条約(一八六〇年)で清朝に権益を認めさせたイギリスとフランスは、次第に清朝を支持して、上海や寧波《ニンボー》から太平天国の勢力を一掃する方針をとるようになっていった。ウォードが戦死し、その後任者が太平天国に寝返ったあと、イギリス軍は、ゴードン大尉を常勝軍の指揮官として推薦した。ゴードンは、巧みな戦術で太平天国を追いつめていった。また、湘軍を率いる左宗棠《さそうとう》は浙江で太平天国軍と戦っていたが、その過程でもイギリスやフランスの助けを受けた。

一八六四年、清朝軍が天京を脅かすようになると、李秀成は洪秀全に対し、天京を捨てて再起をはかることを進言した。しかし、洪秀全はそれを受け入れなかった。曾《そう》国藩の弟である曾国荃《こくせん》の軍が天京を包囲して兵糧攻めにするなかで、洪秀全は宮中において病死したとされる。しばらくのち天京は陥落し、生き残った太平天国の諸王も敗北していった。

こうして、宣教師の布教活動をきっかけにしながら一種のキリスト教系の新興宗教が生まれたものの、その教えにもとづいて独特な新王朝をつくろうとした運動は終焉をむかえた。しかし、清朝が対処しなくてはならない反乱は、ほかにも各地で起こっていたのである。それは各地ごとの特殊な事情に由来したとはいえ、結果として連鎖的に起こることで清朝にとって大きな危機を形成することになる。

2　連鎖する反乱

捻子の活動

安徽《あんき》省の北部は平原が広がり、江南と河南とをむすぶ交通の要衝でもある。おもに小麦を栽培するこの地は、旱魃や洪水・蝗《いなご》の発生など、しばしば自然災害に見舞われて、農業の不振が続いていた。とくに水害が深刻だった。一九世紀前半まで数世紀にわたって黄河は南流して淮《わい》河《が》の流れとぶつかっていた。黄河は大量の土砂をもたらし平坦なところで堆積させる。こうして、淮河やその支流は下流でふさがりがちだった。しかも、淮河流域の東側を南北に走る大運河が江南の米を天津方面へと運んでいるため、清朝としては、この地域の排水を犠牲にしてでも大運河の維持を重視していたのである。

農民は生き残りをかけて、さまざまな手段をとった。災害を受けたときに土地を離れて流浪することをはじめ、塩の密売をしたり、ときには盗賊団に加わったりした。官僚が塩の専売をめざして取り締まりを強化していくなかで、もし塩の密売を続けようとすれば、官からの弾圧に対抗するために武器を持たなくてはならないし、また普通の村落にしても盗賊団から身を守るためには自衛武装する必要がある。こうして、村の有力者さえも無頼遊侠《ぶらいゆうきょう》の徒をうまく利用して、自らの安全をはかるようになっていった。官による治安維持があてにならないとき盗賊に襲われないためには、盗賊になりそうな者を手なづけて配下にするのがよい。

そして武装集団どうしが抗争をはじめると、どちらが略奪しどちらが自衛しているのか、良民なのか匪賊なのかという境界すら曖昧となってしまう。捻子《ねんし》と呼ばれる武装集団は、こうして生まれたのである。

一八二三年から二五年にかけて安徽巡撫を務めていた陶澍《とうじゅ》は、この地域の治安対策に苦労した。とくに人々のあいだに武器が出回っている実態を、次のように道光帝に報告した。

安徽省の鳳陽《ほうよう》・潁州《えい》・泗州《し》などに属する地区は、〔江蘇《こうそ》省〕徐州や河南省と隣り合っていて、民の気風は戦いを好み、ともすれば人を傷つけます。傷害の道具は、猟銃のほか、多くは金属の刀です。この地区の愚かな民は久しく悪習にそまっているため、往々にして禁制の銃刀を隠し持っていて、護身自衛のためと称しています(『陶文毅公全集』巻二四、一三葉)。

そこで、陶澍が対策として提示したのは、民間の銃刀を官金で買い上げるという方法だった。しかし、治安の悪化した地区では、武器は人々の生存に不可欠のものとなっていたし、陶澍もまもなく江蘇巡撫に異動となったので、その対策が実効をもったとは思われない。

陶澍は江蘇巡撫、つづいて両江総督を歴任するが、その任期内の重要政策として塩の専売の立て直しがあった。ここには、財政的な意図に加えて、塩の密売をおさえ込んで賊の収入源を絶つという目的も含まれていたとみてよいだろう。

捻軍の蜂起

一八五五年、これら捻子の諸集団は安徽省北部の亳《ごう》州雉《ち》河集《がしゅう》に結集して、地元豪族である張楽行《ちょうらくこう》を盟主とした。こうして一応の組織化がなされたことから後の研究者は捻軍《ねんぐん》と呼ぶが、清朝からみれば「捻匪《ねんぴ》」という鎮圧の対象にほかならなかった。張楽行は「大漢」の盟主を称して清朝に対抗する姿勢をとり、ときに太平天国とも呼応する動きをみせた。

とはいえ、捻軍は全体として統制のとれた反乱軍だったとはいいにくい。捻軍が勢力を広げ、清朝も兵力を投入して戦いが続くにしたがって、安徽省北部とそれに近接する山東省・河南省の平原地帯には、人々が防備を固めて集住する村落が増えていった。これら村落は、壕《ほり》や壁によって囲まれていて、捻軍の拠点でもあった。しかし、それは捻軍に根強い土着性と分散性をもたらしていたことになる。

欽差大臣として捻軍の鎮圧を担当していた僧格《センゲ》林沁《リンチン》は、モンゴル名族の出身である。一八六〇年、彼は撤退してきた官兵から情報を集めた結果として、河南・安徽の捻軍について次のように朝廷に報告している。

〔捻匪のそれぞれの集団は〕毎年数回は拠点を出て略奪するのですが、いつも官軍のいない場所で焼き打ちや打ち壊しをして、官兵が鎮圧にゆくまでには強奪に飽きて帰ってしまうのです。ある村を襲うといつも財産・食糧を奪いさって村の家々を焼き払い、老いた者、弱い者を殺し、少壮の者はおどして従わせますし、進んで従おうとしない者ももう帰る家がなく、賊に加わるしかないのです(『欽定勦平捻匪方略』巻八八、一二―一三葉)。

こうして、捻軍の人数は増えていくことになる。また、その拠点の周辺は広範囲に略奪されて水も食糧もない。官兵が多少の水と食糧を持参しても補給しきれないので、まもなく撤退しようというとき、追撃を受けかねない。このような情勢報告は、局面打開がなかなかできないことの釈明ともいえるのだが、いずれにしても清朝が容易に捻軍を鎮圧できなかったことは確かである。ついに一八六五年、僧格林沁は捻軍と闘うなか戦死した。

捻軍の鎮圧

曾国藩は欽差大臣に任命されて、僧格林沁らとともに捻軍の鎮圧にあたっていた。曾国藩の上奏文にも、捻軍との死闘の様子が細かく報告されている。

また、やはり李鴻章《りこうしょう》も淮軍《わいぐん》を率いて捻軍と戦っていた。淮軍とは、湘軍にならって李鴻章が郷里の安徽省で編成したものである。淮軍を指揮して頭角を現したのが、劉銘伝《りゅうめいでん》である。湘軍を指導した者のなかには湖南の読書人や科挙合格をめざす人々が多かったが、淮軍を率いた劉銘伝の経歴はそれとはだいぶ異なる。彼は、安徽省合肥《ごうひ》の出身で李鴻章と同郷である。治安悪化のなか、団練を編成し村の防衛を固め、豪勇をもって地元で知られた。実のところ、劉銘伝の出自は捻軍の指導者たちと似たようなものだったことになる。彼は、清朝を助けることで武官の地位を得て、さらに淮軍に参加して太平天国や捻軍の鎮圧にあたった。

さて、鎮圧作戦を指揮する者が頭を悩ましたのは軍事行動だけでなく、軍費確保の問題もあった。一八六六年、旧暦の八月に曾国藩は次のように上奏している。

そもそも指揮官が兵を率いて賊を討つ場合、総督・巡撫として財政権を掌握しているのでなければ、軍費はきっと思うにまかせないことになります。湘軍・淮軍の五、六万人が江蘇省から軍費を得て、三つの省〔安徽省・山東省・河南省〕の賊を討って何年にもなり、李鴻章は軍費を捻出するためさまざまな工夫をしてやってきました。しかし、淮勇〔淮軍に加わって戦う者〕には去年は八回の給料しか払えず、今年も五月までしか払っていないので、士卒から多少不満の発言がありました（『曾国藩全集』奏稿、九冊、五三六一頁。なお『曾文正公全集』で誤植を訂正して解釈した）。

ここに示唆されているように、軍事作戦の維持には淮軍などへの給料の支払いが不可欠だった。

多数の士卒が賊に加わらず清朝に従うかどうかは、まさにこの給料支払いにかかっていたとすらいえるかもしれない。当時は江蘇巡撫を務めていた李鴻章が江南地域の財政をおさえることで、このような軍事作戦が可能となっていたのである。とくに、もともと太平天国鎮圧のための財源として導入された釐金《りきん》という流通課税の意義は大きかった。

曾国藩は、やがて軍務をとかれて李鴻章に交替させられたが、鎮圧作戦は続いた。戦場となった地域では農業生産も打撃をうけ、ますます疲弊していったと考えられる。これに対し、淮軍の側には豊かな江南からの補給があった。

結局、清朝が勝ちそうになると、捻軍を支持していた村々も次々に清朝側につくことを得策とし、場合によっては賊を官に差し出して投降するようになった。こうして、捻軍の勢力は、一八六〇年代末には鎮定された。ただし、この捻軍の戦乱の舞台となった安徽省北部、江蘇省北部、河南省そして山東省内陸部は、やはり貧困のなかに置かれつづけたのである。他方で、劉銘伝のように、淮軍に参加して軍人として出世していった安徽省出身者もいた。

雲南の漢回対立

動乱は、遠く内陸地域でも起こっていた。中央アジアから西北地域にかけての事情は、あとの章で述べるとして、ここではビルマなどと境を接する雲南の情勢をみておこう。

雲南省は山がちな地域が多い。高い山脈のあいだを河谷がはしり、ときに盆地が開けている。

漢民とは異なる言語と生活文化をもつさまざまな人々も暮らしている。この地域にも、一八世紀には漢民の移住民の流れが至り、耕地の開発も進んだ。とくに、雲南は銀・銅を産するため、鉱山も多数の移住民の働き場となった。社会的流動性の激しさは、地方行政の力量不足とあいまって、住民に自己防衛し生存競争に備えることを促した。移住民には出身地ごとにまとまりが見られたほか、義兄弟の契りを結んで結社をつくり出す者もいた。

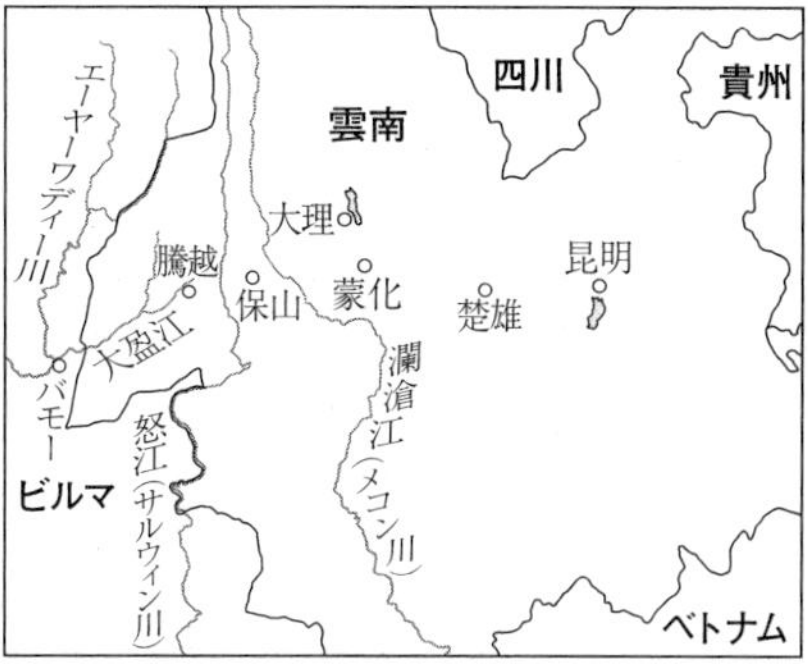

雲南省

雲南は、もとからムスリム住民の多い土地だった。その祖先は、一三世紀のモンゴル時代に西方から渡来したと称される。清代には、ムスリム住民は回民《かいみん》と呼ばれ、イスラームの信仰とそれに関わる生活文化を保持するとともに、漢語を話すようになっていた。

一九世紀にはいるころ、雲南省のうちでも西部にあたる地区で、回民が関わる武力紛争が繰り返し起こるようになった。むろん、具体的な対立のなかでは、必ずしも漢民が利害を共有して一丸となって回民と争ったわけではない。漢民のなかにも、そして回民のなかにも、出身地や既得権益の有無など立場の違いがあった。

しかし、激しい対立と緊張感のなかで、次第に「漢」と「回」という対立の構図が明確になっていく傾向がみられた。一八四五年、永昌《えいしょう》府保《ほ》山《ざん》県では、このことが回民の大量殺戮《さつりく》をもたらしてしまった。その事件に対する地方官僚の処置に不満をいだいた回民の代表は、はるばる北京に赴いて直訴した。

この難局に対応することになったのが林則徐である。林則徐は、アヘン戦争の後、処罰として新疆のイリに送られたが、そののち再起用され陝西巡撫を務めていた。すでに陝西省でも回民の武装行動をおさえる仕事に取り組んでいた林則徐は、一八四七年、雲南に着任した時点ですでに基本方針をたてていた。「漢と回とは出自を異にするとはいえ、朝廷からみれば、いずれも慈しむべきものです。ただ良民と匪賊との区別があるだけで、漢とか回とか分けへだてる必要はないのです」(『林文忠公政書』雲貴奏稿巻一、二葉)。

漢回対立に苦慮する林則徐

雲貴総督林則徐と雲南巡撫程矞采《ていいっさい》による上奏文は、漢回対立の根深さを指摘している。

漢と回の積もった恨みは長年のことで、何世代にもわたって関係が悪くなっています。……そもそも何か怨恨をもつと、すぐその報復をおこなうものの、報復は怨恨に見合ったものではなく、無関係の者まで巻き添えにしてしまい、悪人は憎悪をあおりたて、善人が被害を受けるのです。これほど理不尽なことはありません。しかし、きちんと審理しようとしても、ときに司法にも限界があります。漢と回とがたがいに報復する事件は、いつもあっという間に起こり、往々にして住所不定の賊がよそからやって来て、そのまま統制のない群衆と化し、回の賊が集まれば漢の村はたちまち灰燼《かいじん》に帰し、漢の賊が集まれば回の村はたちどころに破壊されます。人が多く混乱した状況では、殺されたり焼かれたりした者も、驚いてわけのわからないうちに被害にあったので、たとえ死んだ者を生き返らせて「おまえを殺したのは誰か」ときいたとしても、きちんと答えられないでしょう。これでは、どうやって捜査・逮捕したらよいか、わかりません（『林文忠公政書』雲貴奏稿巻一、一三―一四葉）。

このような状況では、漢民と回民との相互不信はぬぐいがたく、官による捜査は困難を極めた。もしも漢民を取り調べると官は回民の肩をもっているとみなされ、回民を取り調べると漢民の側に立っていると思われて、人々の憤激を招きかねない。林則徐らは、ひとまず漢民と回民の代表に相互の和解をゆだねるほかなかった。

回民が北京に直訴した案件については、事件のあった保山県から林則徐のいる昆明《こんめい》まで漢民の被告人を護送して審理する必要があった。しかし、保山のいくつかの村落では、香をたく儀式で結社をつくり、官も介入できないようになって久しかった。いよいよ護送しようとしたとき、これらの者たちが被告人を奪取するという事件が発生した。彼らは県の役所を襲撃し、またも回民を多数殺害した。

林則徐の報告によれば、しばらくこの実情は自分のところまで伝わらなかった。実は、蜂起した勢力は、保山から雲南省の中央部にむかう途中にある瀾滄江《らんそうこう》(メコン川上流)の橋をおさえて情報を遮断したうえ、悪いのは回民だという偽の報告を送ってきていたのである。実態を知った林則徐らは、さっそく軍勢を集めて鎮圧に乗り出し、首謀者をはじめ多数を捕らえて厳しく処罰した。取り調べのなかで、バイイー(今日のタイ族にほぼ相当)出身の薬売りが、人々を糾合するうえで大きな役割を果たしたことが発覚し、これを捕らえた。飲むと皮膚が硬くなって刀も鉄砲玉もはね返すという薬を配布したり、さまざまな呪術の力で官兵に勝てると称したりしていたことから、人心の動揺を考慮して、林則徐は死刑のなかでも最も重い処刑法を適用すべきだと上申した。

こうしてようやく林則徐は回民たちの北京直訴を検討することができた。林則徐は、これら回民が一八四五年の事件のときに家族を殺され財産をなくしたことを認めて不憫《ふびん》だという一方で、その事件だけでなく、相互対立を全体としてみれば、漢民も同じくらい多数殺害されていることを指摘する。

この説明で回民たちが納得できたとは考えにくい。北京まで行って直訴するには、相当のお金と労力を費やし、各地のムスリムの協力を得ることが必要だったはずである。執念のこもった上訴だった。林則徐にとっては、それが最も現実的で穏当な判定だったのだろうが、回民の積もる恨みを晴らすには、ほど遠かったことも、容易に想像できる。

林則徐は、雲南の漢回対立に一応の決着をつけたところで、一八四九年、病気を理由に辞職・引退した。しかし、雲南の安定は一時的なものにすぎなかった。北京で直訴した回民のひとり杜文秀《とぶんしゅう》こそが、雲南を揺るがす動乱を指導することになる。

杜文秀の蜂起

清代雲南の鉱山業においては、漢民・回民の双方が経営と労働にあたっていた。その利権の争奪の過程で漢回の対立がもち込まれて、一八五〇年代にはいると、とくに雲南の南部において事態は紛糾していった。攻撃を受けた回民は、身を守る必要から馬如《ばじょ》竜《りゅう》・馬徳新《ばとくしん》ら指導者のもとに団結していった。馬如竜は武芸に秀で武生員《ぶせいいん》という地位をもっていた。馬徳新は学識ある人物で聖地メッカに巡礼した経験があった。また、杜文

雲南の風景．杜文秀蜂起の伝承が残る丘から，巍山彝（イ）族回族自治県の農村地帯をのぞむ．写真中央の特徴的な建物は，最近の建築様式のモスク（2002年，著者撮影）．

秀は蒙化《もうか》(現在の巍山)で蜂起し、一八五六年に大理《だいり》をおさえてから次第に雲南西部を支配下におさめていった。

一八五七年、馬徳新・馬如竜は昆明を攻め、雲貴総督を自殺に追い込んだ。清朝は、結局のところ、馬徳新・馬如竜を懐柔することにした。こうして、馬如竜は清朝の側について杜文秀と戦うことになった。杜文秀は回民だけでなく雲南の先住民も含めた反乱勢力の盟主のような立場にたっていた。彼はスルタン・スライマーンと称して自立的な政権構築への動きを示した。

一八六八年、杜文秀の率いる勢力は清朝軍を破って昆明に迫ったが、清朝側は西洋の火器も手に入れて反攻に転じた。杜文秀はイギリスの支援を得ようと試みたものの果たせず、一八七二年末に自殺した。こうして大理が陥落し、まもなくして反乱が鎮定されると、二〇年ほどに及んだ雲南の動乱はようやく幕を閉じたのである。この争乱は、広い地域にわたって雲南に荒廃をもたらした。

大動乱の時代

以上のように一九世紀半ばは、大規模な反乱があいつぎ、清朝にとってみれば苦難の時代だった。各地で反乱が起こる経緯はもちろん多様だが、地方社会での激しい生存競争を背景としているとはいえるだろう。

このような激しい競争は、おおざっぱに見れば一八世紀の人口急増がもたらしたものともいえる。そして、一九世紀半ばの戦乱で死亡した人々は多数にわたり、全国の人口はこの時期に相当減少したと推定されている。

各地の反乱は、はじめは別個の由来をもつものであっても、相互連鎖的に発生することで清朝を苦境に陥れた。太平天国と捻軍のように多少の協力関係があった場合はもちろんであるが、そうでなくとも清朝の動員できる兵力には限界があるから、ある反乱を鎮圧するときには別の土地にあてられる軍事力は手薄になってしまいかねない。

それにもかかわらず、清朝が何とかこれらの反乱を鎮圧できたのは、なぜだろうか。それには多くの理由が考えられる。ひとつには、あとの章で述べるように、一八六〇年代から七〇年代は、イギリスなど列強との関係が安定したことが挙げられる。

国内的には、清朝がいくつかの側面で、各地の有力者を味方にできたことが大きな意味をもっていた。まず、清朝の側について功績を立てることが、立身出世の有効な手段となり得たのである。反乱を鎮圧するときの林則徐・曾国藩・左宗棠・李鴻章らの上奏文には、賊の鎮定において、誰が、どのような功績をあげたか、という細かい報告が多く含まれているが、これは官位・官職の授与という形での報奨に必要な手続きだった。また、官に軍費を寄付することも、実は形を変えた官位の購入にほかならなかった。曾国藩が強調したような儒教的秩序の維持という主張も、各地で一族を結集して勢力をはる有力者にとって受け入れやすい価値観だった。太平天国の描き出す世界観は、その勢力拡大の過程では大きな魅力を発揮したはずだが、他方で、科挙の受験勉強をして儒教の経典を暗記していた人々から支持される可能性はなかった。また清朝が膨大な軍費をまかなうことができた点も注目される。後述のように、それは、この時期の外国貿易の展開、商品流通の活性化といった経済動向を生かした財政の仕組みをつくりあげることができたからである。

こうして、清朝は体制を立て直すことができた。その意味では、一九世紀中ごろから清朝は衰亡に向かったとはいえない。その一方で、この動乱の時代をくぐり抜ける過程で、統治の仕組みにさまざまな修正が加えられたことも確かなのである。

3　第二次アヘン戦争

租界の起源　一八四二年の南京条約にもとづき、広州・廈門《アモイ》・福州・寧波《ニンポー》・上海の五港での貿易が新しい制度のもとで始まった。イギリスは各港に領事を派遣した。

そこで、すぐ問題となったのが、領事館をどこに設け、海外から来た貿易商たちがどこに住むのかという点である。イギリスと清朝の虎門寨《こもんさい》追加条約(一八四三年)では、イギリス人が住む場所は、清朝の地方官とイギリス領事が相談して設定することになっていた。

その具体的な展開は各港で異なっていたが、ここでは上海についてみてみよう。一九世紀はじめの上海は、すでに国内物流にとって重要な役割を果たし、繁栄していた。イギリスから派遣されて来たバルフォア領事は、まず何とか自分の住む家を上海県城内に借りることができた。城内というのは、城壁に囲まれ官署の設けられた都市的空間にあたる。バルフォアは、上海を管轄する蘇松太道《そしょうたいどう》の官職をつとめる宮慕久《きゅうぼきゅう》と交渉し、県城から少しだけ北に離れた地点、つまり黄浦江《こうほこう》と蘇州河が合流する地点に近い一角を、外国人の住む地区とした。これを定めた上海土地章程(一八四五年)には、外国商人が自治的に都市建設と衛生・治安の管理を進めることが規定されていた。この章程は、あくまでも地域的な取り決めだったが、のちにこの外国人の居住地区が租界として発展する出発点となった。

この最初期の居留地区の設定は、清朝の官僚にとっては、ひとまず好都合だったと考えられる。外国人が個別に家を借りて城内に住んだりすると、さまざまな紛争が起こると心配されたからである。外国人としても、自分たちで管理できる地区があるほうが好ましい。こうして、相互の思惑が一致したところに租界の起源があったわけだが、清朝が条約で認めた領事裁判権や、列強の軍事的・経済的な力量とあいまって、租界は当初の予想をはるかに超えた外国権益に成長していくことになる。

小刀会の蜂起

一八五三年、上海県城は小刀会《しょうとうかい》の一団によって占拠された。小刀会とは会党(信仰によって盟約をつくった結社)の一つで、大きくいえば天地会《てんちかい》の系統に入り、「反清復明」(清朝を打倒して明朝を復活させる)を唱えていた。これと対峙するようにして清朝軍も近くに駐屯した。租界はこの対立に巻き込まれないように中立を守ろうとしていた。しかし、一部の外国商人は、清朝に包囲された小刀会の側に物資を売りさばいてもうけていた。

イギリス領事オルコックにとって、租界の安全確保が第一目標だった。そのためには、条約に根拠がなくとも、イギリス人義勇軍による作戦を敢行せざるを得なかった。その後、イギリス・アメリカ・フランス三国の領事が協議して、第二次土地章程(一八五四年)を定めた。この章程は、租界の借地人を集めた会議で承認され、それにもとづいて外国人の住民によって正当性を与えられた市政機構が出発した。また、もともと中国人の居住は認められていなかったものの、戦乱を逃れるため租界に流入する人口は多く、結果として外国人と中国人が雑居する場所となった。

一八五五年、上海県城は小刀会から再び清朝に奪回された。外国側とくにフランス軍もこの作戦を支援していたのである。こうして上海の状況は一応の落ち着きをとりもどした。

一九世紀後半においては、租界の行政権は外国人に握られていたとはいえ、中国人が多く居住したことによって租界は活況を呈し、都市としての発展をたどることになった。上海では、フランスは独自の租界を設定したが、イギリスとアメリカは共同租界を維持していった。租界においては、清掃・照明といった道路整備が公共事業として不可欠だが、その財源は土地・建物への付加金や波止場の使用料などによってまかなわれていた。

上海が海外貿易によって発展すると、貿易に課税する税関の役割が大きくなった。しかし、旧来のように、貿易を仲介する商人を官僚が定めて徴税を請け負わせるという仕組みを続けることはできなくなっていた。資本の小さな商人が多数存在する状況にその制度はあわなかった。

海関の外国人税務司制度

そこで、イギリス領事オルコックは、清朝の海関《かいかん》(海外貿易を担当する税関)が外国人を雇用し、正確に貿易量を把握して徴税する方式を考案した。そのきっかけは小刀会が上海県城を占拠したために、一時的に関税業務が滞ったことによる。とはいえ、当時の外国貿易の伸展に即応した徴税機構であり、清朝も確実な関税収入に期待したため、この外国人税務司制度は清朝全体に広がり、それらを統括する総税務司という役職が設けられた。

このようにして合理的に運営された海関は、清朝の財政に大きく貢献した。さらに、清朝は海関に雇った外国人をさまざまな形で利用することで、新規事業を展開したり、外交交渉を進めさせたりすることができたのである。

アロー号事件から戦争へ

一八五六年一〇月八日、広州の街の前を流れる珠江《しゅこう》でひとつの事件が起こった。ここに英国旗を掲げて停泊していた貨物船アロー号へ清朝官憲が乗り込み、英国旗を降ろしたうえ、船員の大半(中国人)を拘束して連れ去ったのである。海賊の容疑である。実は、この船は複雑な由来をもち、もともと海賊船だったが、のちに所有者が変わって香港船籍をもつに至っていたという。

これに対し、香港総督バウリングと広州領事パークスは抗議する立場をとった。しかし、両広総督の葉名琛《ようめいしん》も容易には譲歩しなかった。広東では反英の動きが強まり、武力衝突が起こり始めた。

そこで、イギリス政府は開戦の方針をとった。首相はパーマストンだった。議会では、コブデン(自由貿易論で知られる政治家)らが政府を厳しく批判したが、政府は派兵を進めていった。おりしも一八五七年五月にはインドでセポイ(インド人傭兵)の蜂起が起こり、ムガル皇帝をおしたてた大反乱に発展した。このため広東への派兵は遅れたが、イギリス政府はフランスも誘って遠征を準備した。第二帝政期のフランスは、カトリック宣教師が広西省で殺害された事件を開戦の理由とした。

いよいよ一八五七年一二月、英仏軍は広州を攻撃し占領した。そののち、葉名琛は捕らえられてインドに送られた。

アメリカとロシアも加わった四か国は通商拡大などをめざして、新たな条約の締結を要求したが、清朝の態度をみてさらに圧力をかける必要を感じた英仏軍は北上して渤海《ぼっかい》湾に至った。大沽での交渉がうまくいかないと英仏軍は大沽の砲台をおとし天津まで進んだ。こうして清朝も条約交渉に取り組まざるを得ないことになり、ついに一八五八年六月、イギリス・フランスにくわえてアメリカ・ロシアの四か国それぞれと条約を結んだ(これらは天津条約と呼ばれる)。

この交渉の期間、外国人が天津附近に滞在していたことは、天津の官僚・民衆に強い心理的圧迫を与えた。官僚からすれば、もしも外国人に対する傷害などの事件が起これば、いかなる報復攻撃を受けるか予想もつかないし、また逆に住民が外国人の手先となって行動することも心配だった。そこで住民と外国人とをなるべく隔離しておくことが試みられたが、それでも外国人はときどき街を出歩くことがあり、ささいな紛争が起こることは避けがたかった。いずれにしても、なんとか天津での大事件が起こらないうちに、条約が調印され、英仏軍は撤退した。

北京への英仏進軍

交渉の場は上海に移った。清朝とイギリスとは、通商・関税についての具体的な問題を解決する必要があった。しかし、実のところ、清朝は天津条約に定められた外国公使の北京常駐といった項目などを取り消すことを望んでおり、議論は混乱しがちだった。一八五八年一一月に、この通商協定は成立し、新たな関税率などが定められた。ここで注目されるのが、アヘン貿易が認められて、清朝政府が輸入関税を課すことになった点である。実は、アヘン戦争以後もアヘンの輸入は盛んに続けられていたが、それは非公式な地方的了解にもとづいて清朝官憲が黙認していたに過ぎなかった。この一八五八年の通商協定によってはじめてアヘン貿易が合法化されたのである。

さて、一八五九年六月、英仏軍は天津条約に定められたように、その批准を北京でおこなうために渤海湾にやってきた。ところが、天津に至る海河には船の遡行をさまたげる障害物が設置されていたのである。清朝としては、大沽から少し離れた北塘《ほくとう》から上陸させるつもりだったが、うまく通知がなされず、英仏軍は障害物を取り除いて河をさかのぼろうとした。このとき、防衛の総責任者である欽差大臣僧格林沁《センゲリンチン》は大沽砲台から英仏軍を砲撃した。

こののちの交渉も成功せず、清朝と英仏とは決裂した。一八六〇年八月、英仏軍は再び大沽砲台をおとした。英仏軍は、天津ついで通州(北京の東にある大運河の終着点)で清朝側と交渉したが、うまくいかず、その過程でパークス領事をふくむ英仏人が捕虜とされた。

九月、外国の侵攻を恐れた咸豊帝は多数の高官とともに北京を脱出して熱河に向かった。一〇月に英仏軍は円明園《えんめいえん》に至った。円明園とは、雍正帝が設け乾隆帝が拡張整備した清朝の離宮であり、北京の西北郊外にあった。清朝側は捕虜を返還した。パークスは無事だったが、すでに遺体となって返された者も多かった。英仏軍は、その報復のため円明園を破壊し放火した。

しばらくのちに李鴻章のもとで太平天国鎮圧に従事することになるイギリス軍人ゴードンは、この円明園の略奪に居合わせた。ゴードンは郷里の母親にあてた書簡で次のように述べている。

僕たちが焼き払った建物の美しさ、壮大さを、お母さんは、なんとも想像できないでしょう。焼き払うのは本当に痛ましいことでした。実を言えば、いくつもの宮殿はあまりに大きく、僕たちは時間に迫られていたので、ざっと見て略奪することしかできませんでした。たくさんの黄金の装飾品も、真鍮《しんちゅう》とまちがって焼かれてしまいました。これは軍のモラルをひどく害する仕事でした。誰もが目の色を変えて略奪していました(Boulger, *The Life of Gordon I*, p. 46)。

陥落した大沽砲台．写真家フェリクス・ベアトが撮影した(Clark Worswick and Jonathan Spence, *Imperial China*)．

ゴードンは、玉座のある部屋のすばらしさとフランス兵による略奪の激しさにも言及している。しかし、なんとゴードンはその玉座を買い、のちに彼の所属する陸軍工兵隊の司令部(ケント州チャタム)に贈った。

　略奪品は、このように軍務の記念品として扱われたほか、しばらくしてロンドンなどで競売にかけられたものもある。しかし、円明園の破壊そのものは、個々の兵士の暴走によるのではなく、指揮官の命令によるものだった。この蛮行は、清朝に対する懲罰という意志の表明であり、ゴードンが母親に隠さず報告しているのも、それが上官の命令による正規の軍務だったからである。

北京に残って交渉にあたった恭親王奕訢《えききん》は、英仏の要求に屈服せざるを得なかった。条約は、英仏側の要求で、北京の城内で調印された。ついで、ロシアも北京で条約を結んだ。

清朝が、イギリス・フランス・ロシアとそれぞれ結んだ北京条約の内容は、天津条約を補強するものだった。総じてこの戦争の結果、次のようなことが条約で決められた。

総理衙門の成立

まず、マカートニー以来の懸案となってきた外国公使の北京常駐を、ついに清朝が認めたことである。それに関する儀礼の原則も定められた。イギリスとの天津条約第三款の漢文版には「英国は自主の邦であって中国と平等である。大英の欽差大臣が国家の代表として大清の皇帝に謁見する場合、もし国体を傷つける儀礼があれば、それを行なうことはできない」とあった。それは大英君主の使節が西洋諸国の国主に謁見するときの儀礼と同等でなくてはならないからだと説明されている。そのほか、たとえばイギリスの領事と対等なのは清朝の官僚でいえば道《どう》台《だい》だと規定するなど、相互の官員がもつ地位の高下について対応関係が強く意識されているのも、やはり会談や文書交換における具体的な場での対等性を確保するためであろう。「英国は自主の邦」とわざわざ記しているのは今日からみれば多少奇妙ではあるが、ここまで念を押さないと、両国は「平等」であるべきだというイギリスの主張を清朝官僚の多数に理解させるのが難しかったことを示唆しているといえるだろう。

さらに、貿易の関係でも、多くの規定が含まれていた。長江一帯での通商が認められ、開港場が新設された。その後の調整も経て、一八六〇年代に開かれた港のなかには、渤海に面する天津・牛荘《ぎゅうそう》(実際には営口)・登州(実際には芝罘《チーフー》)、台湾の二港、長江中流の主要貿易港である漢口などが含まれていた。キリスト教についても、外国人宣教師の国内布教が認められた。

以上の規定は、将来に大きな影響を与えることになったので、この戦争は歴史の大きな転換点だったということができる。当初のきっかけはアロー号事件だったため、アロー戦争と呼ばれることも多い。それでも誤りではないが、アロー号事件そのものは、この戦争の規模と結果を説明するほどの重要性をもっているとは考えにくい。むしろ、アヘン戦争後に、イギリス人が不満に感じていた問題を、再度の武力行使によって解決しようとしたものと理解できるだろう。とくに、この戦争の結果、アヘン貿易を清朝が明文で認めたことが注目される。そこで、研究者がこの戦争を第二次アヘン戦争と呼ぶのは十分な理由をもっていることになる。

第二次アヘン戦争が、清朝の対外関係史にもつ重要性は、その結果として、専門の外政機構である総理衙門《そうりがもん》が北京に設立された点にもある。北京条約締結ののち、英仏側は北京に外務省のような官庁を設置することを清朝に対して要請した。ただし、清朝としては既存の官制の体

恭親王奕訢．咸豊帝の弟にあたる．咸豊帝の死後，総理衙門の運営で重要な役割を果たした．写真家ジョン・トムソンが撮影（J. Thomson, *Illustrations of China and Its People*）．

系をなるべく変更しないで済ませようとし、一八六一年一月、総理各国事務衙門を新設した。これは、総理衙門または訳署・総署などと略称される。総理衙門の中心となったのが、北京条約の交渉をおこなった恭親王奕訢だった。

垂簾聴政の開始

いっぽう咸豊帝は、一八六一年八月、退避先の熱河で病死した。まさに死にそうになったときの遺言にもとづき、六歳になる息子が帝位につき、宗室の粛順《しゅくじゅん》らがこれを後見することになった。ところが、咸豊帝の遺体が北京に移されたとき、幼帝の生母と奕訢とが協力して政変を起こし、粛順を処刑した。

そもそも咸豊帝の皇后には男児がなかった。これに対し、満洲人エホナラ氏の出身で後宮に入った女性が唯一の男子を産み、皇后につぐ皇妃に地位に任じられていた。この皇妃は、政治的関心も強く、しばしば粛順と対立していた。こうしたなか、政権の争いから、以上の事件が起こったのである。

翌六二年から始まる新しい年号は同治と定められ、もとの皇后と幼帝の生母とは、共同して皇帝を後見することになった。この「垂簾聴政《すいれんちょうせい》」(御簾《みす》を垂らして、幼い皇帝のかわりに政治をとる)において、もとの皇后は東太后、同治帝の生母は西太后と呼ばれている。ただし、東太后は政治への関心があまりなかったので、この同治帝(在位一八六一—七五年)の時代には、西太后と奕訢とが中心になって朝廷の政治を動かすことになっていく。

4　西洋との協調・対抗

外国語と科学の教習

第二次アヘン戦争の時期まで、清朝には西洋諸語を理解できる官員を養成する仕組みはあまりなかった。唯一の例外は俄羅斯《オロス》文館であり、ここでロシア語を教授することになっていたが、一九世紀に入るとほとんど機能していなかったようである。

しかし、西洋諸国との交渉のなかでは、外国語の能力をもった官員の必要性が痛感されるようになった。こうして、英語・フランス語・ロシア語の教習をおこなう同文館《どうぶんかん》を北京に設置することが提起された。一八六二年、総理衙門の奕訢らは「各国の現状をよく知りたいならば、まずその言語文字に精通する必要があり、それでこそ欺かれずにすむのです」と説明している(『籌辦夷務始末』同治朝巻八、三四二頁)。こうして、総理衙門の管轄のもとに外国人を教師に雇って同文館を設け、八旗の子弟を学生として教育したのち成績に応じて任用することにした。経費は、外国貿易から得られる関税でまかなった。

さらに、一八六六年一二月、総理衙門は、同文館に天文学と数学を学ばせる特別課程を付設することを提言し、「西洋人が機器・火器などを作ったり、船や軍隊を動かしたりするのは、すべて天文学・数学に由来しているのです」と指摘している(『籌辦夷務始末』同治朝巻四六、一九四五頁)。また、翌年一月の上奏文では、反対意見の存在を考慮して次のように主張した。

西洋人にならうのを恥とするのは、完全に間違った議論です。そもそも天下の恥のうち、人に劣るのが最大の恥です。調べてみると西洋各国は数十年来、汽船の研究を進め相互に学び日に日に新しいものをつくり出しています。東方の日本も、最近は人をイギリスに派遣しその言葉を学ばせその数理を深く理解させて、いつか模倣して汽船をつくるための下地にしようとしているので、数年後には必ずそれが完成するでしょう。西洋各国は海上に覇を唱えようと競争しているので言うまでもないのですが、日本のような小国すら発憤して頭角を現そうとしているのに、中国だけが因循積習《いんじゅんせきしゅう》にとらわれて奮起しようとしないならば、それこそが最大の恥なのです（『籌辦夷務始末』同治朝巻四六、一九八三頁）。

天文と数学を学ばせる学生としては、科挙の最終試験に合格した進士よりも下の挙人《きょじん》などが想定されていたが、まもなく進士の資格をもつ官僚も含むように提案された。

このような計画は、儒教を重んじる考え方の官僚による反発を招いた。同治帝の師を務めていた大学士倭仁《わじん》が反対の論陣を張った。西洋人に対しては、しばらく前に北京に侵攻され円明園を焼かれた恨みがあるのに、彼らに教わるとは何事かというのである。またキリスト教の広まりに対しても読書人が儒教の教えを説いて対抗しなくてはならないと主張する。「私見では、国を立てる道は礼儀を尊ぶことであって権謀《けんぼう》を尊ぶことではありません。最も大切にすべきなのは人心であって技芸ではありません」（『籌辦夷務始末』同治朝巻四七、二〇〇九頁）。ここには、科学技術の習得よりも儒教を通じた社会統合のほうが士大夫《したいふ》の使命であるという立場が明確に示されている。

これに対して、奕訢ら総理衙門の側も力をこめて科学技術の必要性を説き、朝廷もそれを支持して倭仁を黙らせた。しかし、倭仁につづいて天文・数学の教習計画を指弾する意見はあいついだ。そうしたなかで学生募集をして教育を始めたものの、良い学生があまり集まらず、結局、翌年には、この特別課程はもとからの同文館に合併されたのである。

以上の経緯には、外国の知識を取り入れることに対して強烈な反感を示す官僚たちがいて、奕訢らの試みを挫折させていったことが示されている。

軍需工場の設立

太平天国を鎮圧する過程で、曾国藩・李鴻章らは、西洋人の助力を得ることになり、西洋の兵器が優れているという認識をもつようになった。いくつかの試みのあと、一八六五年、李鴻章は上海租界にあったアメリカ人の工場を買い取って江南製造局とした。その後、曾国藩が容閎《ようこう》(イェール大学卒業)に依頼してアメリカから購入した機械とあわせて、一八六七年、工場を上海県城の南に移転した。ここでは、艦船・大砲・銃・弾薬などを製造した。財源には、貿易から入る関税があてられた。

兵器工場は各地に設けられたが、とくに天津機器局が重要である。これは総理衙門が一八六六年に提議して設置されることになり、一八七〇年に李鴻章が直隷総督として管轄して以後、大いに発展した。また、左宗棠《さそうとう》は、閩浙《びんせつ》総督在任中、福州近くに造船工場を設けようと努力した。彼は、浙江での太平天国鎮圧のときに協力したフランス人のジケルとデグベルを招いて、一八六六年、福州船政局を立案し、この事業は彼の離任後も引き継がれた。

兵器工場の新設は、太平天国と戦った清朝官僚たちが西洋式軍隊の装備の威力を実感したことが大きなきっかけとなっている。太平天国軍も、西洋の兵器を購入していたという事情もあった。奕訢らは上奏のなかで、まだ太平天国の鎮定を進めているので、いま西洋から兵器製造を学んで賊を鎮圧することを名目とすれば、自強を進めようとする真意を隠せると述べている(『籌辦夷務始末』同治朝巻二五、一〇八二頁)。なぜなら、清朝が西洋諸国を仮想敵としているならば、彼らが軍事技術を素直に教えてくれるとは考えにくいからである。つまり、やはり軍備増強のおもな目的は外国に対する防衛にも置かれていたというべきだろう。

実は、そこにとどまらず、技術を停滞させた当時の官僚制や文化志向にも問題点があると指摘する者も現れた。一八六四年、李鴻章は奕訢にあてた書簡のなかで大砲や蒸気機関について詳しく説明しながら、次のように述べている。

中国の士大夫は、経書の言葉や細字の楷書《かいしょ》(科挙の試験をさす)といった積年の習慣に心をとらわれ、武官・兵卒も多くは愚昧で注意深さを欠いているので、実用と学問とが離れてしまっています。だから、平時には外国の利器は人目をひくけれど無用のものと嘲り笑って、学ぶ必要はないと思い、有事には外国の利器は何とも恐ろしい神業と驚いて、学ぶことなどできないと思うのでしょう。西洋人はそうではありません。彼らは、もう数百年ものあいだ、人間の生死に関わる大切な学問として火器のことを研究してきたのです(『籌辦夷務始末』同治朝巻二五、一〇八七―一〇八八頁)。

李鴻章はこれに続けて、中国では器械製作は曲芸のように思われてきたと厳しく指摘し、西洋にならって軍事技術に優れた者を高官に登用することまで提議している。ここには、儒教と科挙という国家の基本にこそ病巣があるという大胆な見方が示されている。先の倭仁のような立場と全く相容れないことがわかる。

しかも、一八六五年、江南製造局の現状を報告した上奏文で、李鴻章は自分の意図が兵器生産にとどまらないことを説明している。

そもそも私にはとくに言上したいことがございます。西洋の機器は、農耕・織布・印刷・陶器づくりなどに使える機材を作り出すことができ、民生日用に有益であって、もともと兵器のためだけのものではありません(『李鴻章全集』二冊、二〇二頁)。

こうして新技術が広く産業に役立てられる可能性を、李鴻章は視野に収めていたのである。

洋書の翻訳

一八六五年、総理衙門によって、『万国公法』という書物が刊行された。これは、アメリカの外交官・学者だったホイートンが国際法について論じた書物の漢訳である。奕訢らの説明によれば、諸国が相互に非難する際に依拠している書物があるようなので調べていたところ、アメリカ公使バーリンゲイムからマーティンという文士がそれを漢訳しているとの紹介を受けた。「中国の制度と比べてみると、すべて合致するというわけではないが、なかには取るべきところもある」と評価して総理衙門が費用を与えて刊行させた(『籌辦夷務始末』同治朝巻二七、一一八五頁)。この説明を見るかぎりでは、清朝も万国公法に拘束されているとは考えていないようである。とはいえ、しばらく前にプロイセンの船がデンマーク船を大沽の近くで拿捕《だほ》した事件のときに、この本を参考にして抗議したともいっているから、西洋諸国に対しては有効だと認識していたことになる。

この拿捕事件は、一八六四年、シュレースヴッヒとホルシュタインの所属をめぐって、プロイセンとデンマークとのあいだに起こった戦争の余波だった。総理衙門としては近海で軍事行為をされたことに抗議したのだが、プロイセン側はこの拿捕はヨーロッパの軍法に従ったもので、海岸からの距離についても国際法にのっとっていると返答した。これに対する総理衙門の反論では、ヨーロッパの定めた軍法は中国の知るところではなく、また清朝の軍事について定めた『中枢政考《ちゅうすうせいこう》』によれば、拿捕地点は中国の海域だったと指摘していた(『籌辦夷務始末』同治朝巻二六、一一四七―一一四九頁)。

以上から、総理衙門は、清朝も含めてのっとるべき国際規範の存在を否定していたのである。このことからみれば『万国公法』の刊行が、すぐに清朝の国際認識を変えたとは考えにくい。とはいえ、マーティンは北京の同文館で教えることになり、万国公法についての書物をさらに

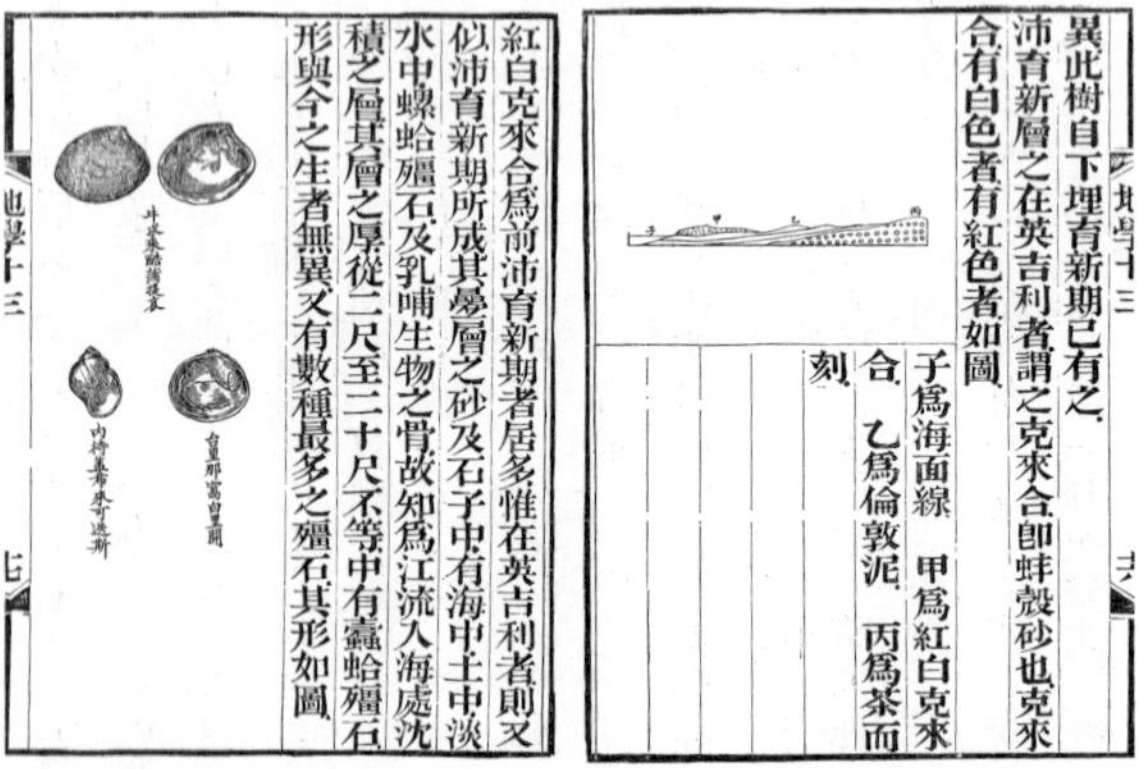
地學十三

異此樹自下埋育新期巳有之
沛育新層之在英吉利者謂之克來合卽蚌殼砂也克來
合有白色者有紅色者如圖

子爲海面線　甲爲紅白克來
合　乙爲倫敦泥　丙爲茶而
刻

地學十三

紅白克來合爲前沛育新期者居多惟在英吉利者則又
似沛育新期所成其層之砂及石子中有海中土中淡
水中螺蛤殭石及乳哺生物之骨故知爲江流入海處沈
積之層其層之厚從二尺至二十尺不等中有蠧蛤殭石
形與今之生者無異又有數種最多之殭石其形如圖

『地学浅釈』．チャールズ・ダーウィンの師でもあった地質学者ライエルの著作を翻訳したもの．地層や化石の図版も充実している（東京大学総合図書館蔵）．

翻訳して同文館から刊行する努力を続けたので、清朝官員も次第に理解を深めていった。北京の同文館は、ほかにも理科系の書物を出版することで、新しい知識を普及させようとした。

上海の江南製造局でも、兵器製造のほか西洋の科学技術書を中心に翻訳・出版の活動をおこなっていた。かつて明末にマテオ・リッチと徐《じょ》光啓《こうけい》が半分ほど漢訳したユークリッド幾何学の『幾何原本《きかげんぽん》』も、この江南製造局から完訳本が出された。イギリス人宣教師ワイリーが数学者李善蘭《りぜんらん》の協力を得て翻訳したものである。『幾何原本』のために曾国藩が書いた序文は、中国の数学は具体的な計算法のみを重んじて原理的な探究を欠いてきたことを指摘しており、西洋の学問の特徴に対し鋭い認識を示しているといえる。また、やはり江南製造局から出た『地学《ちがく》浅釈《せんしゃく》』は、イギリスの地質学者チャールズ・ライエルが二〇年ほど前に著したばかりの本を訳し、多数の原著挿絵とあわせて刊行したものである。このような近年の著作、しかも軍事とはあまり関係なさそうな書物も漢訳出版されていたことが注目される。

天津教案

第二次アヘン戦争の結果として、キリスト教の内地布教が認められた。宣教師の活動は、地域社会に動揺をあたえ、紛争をひきおこしたり裁判沙汰をもたらしたりした。とくに対立が激化して暴動に至る場合もあった。これらを教案《きょうあん》という。一八七〇年に天津で発生した教案は、フランス領事はじめ多数の人命を奪ったため、重大な外交問題にまで発展した事件である。

天津の租界は、天津城から少し東南に離れた海河ぞいに設けられていたが、これとは別に、フランス領事館とカトリックの教会(望海楼《ぼうかいろう》)は海河と大運河とが交わる地点ちかくにつくられた。また、やはりカトリックの修道会は城の近くで孤児の収容や施療にあたる施設を運営していた。

その年は天候が不順で、日照りが続いていた。そこにあやしい流言が広まった。薬品で幼児をまどわせて誘拐する者がいたとか、墓地に子供の死体が捨てられていたという話である。カトリック教徒が子供の目玉をくりぬき胸を裂いたのだという噂まであった。はっきりしたことがわからない疑心暗鬼の気持ちから緊張が強まるなか、天津の地方官が容疑者の取り調べを始めた。人々の興奮は高まり、それに影響されてかフランス領事フォンタニエが、三口《さんこう》通商大臣の崇厚《すうこう》の役所に現れて銃を発砲した。崇厚は無事だったが、フォンタニエは崇厚が止めるのも聞かずに外に飛び出した。

天津では、それまで地元の顔役の指導のもと、「火会《かかい》」と呼ばれる消防隊が組織されていた。その構成員は、道ばたの物売りなども多かったが、火災が起こったら銅鑼《どら》の音で集まるという義勇の心意気で知られていた。フォンタニエが外に出て遭遇した群衆とは、銅鑼を鳴らしつつ武器をもって駆けつけた火会やそれに便乗して集まった民衆だった。これらの群衆はフォンタニエやカトリック教徒ら(中国人教徒もふくむ)を殺害し、教会や孤児収容施設も襲撃した。

ここで孤児収容施設が敵意の対象となったのには、特殊な事情があった。カトリックの教義からいえば、洗礼を済ませずに死んだ子供はキリスト教徒としては救われない。だから病気などで衰弱した子供を集めて洗礼を授け、死後に埋葬したのであろう。だが、このような行動が、天津の人々の猜疑心をまねき、激しい憤激をもたらすことになってしまったのである。

事件処理のため天津に来た直隷総督曾国藩は、苦悩した。天津の世論は、暴動は義憤にもとづくものだとするのが大勢であり、朝廷にもキリスト教を激しく批判する上奏が寄せられていた。しかし、フランス人多数を殺害した犯人を処罰しなくては、フランスは決して納得しないことも明らかだった。さらに、犯人を特定することにも困難が含まれていた。

こうして、責任を問われた地方官は黒竜江に流され、殺人・傷害の犯人には死刑ないし流刑・徒刑が科せられた。これが本当の犯人であるかを疑問視する意見もあったが、死刑はまもなく執行された。

清朝とフランスとのあいだには、一時は軍事的緊張が高まったものの、おりしもナポレオン三世がプロイセンとの戦いに敗れて権力を失った。そこで、フランス側は天津教案について、関係者の処罰・賠償支払いと謝罪使の派遣ということで満足することにした。謝罪使は崇厚が務め、フランス大統領ティエールのもとに赴いた。

曾国藩は息子の曾紀沢《そうきたく》・曾紀鴻《そうきこう》にあてた書簡で「私の処理はすべて和平の維持をめざすものだが、きっと清議《せいぎ》の指弾を受けるだろう」と言っている(『曾国藩全集』家書、二冊、一三七四頁)。清議とは、原則的立場から外国と妥協せず強硬な態度を主張する意見のことを指している。天津教案の処理を通じて、曾国藩は排外的な世論からは批判を受ける立場になってしまった。曾国藩は、まもなく両江総督に転任し、かわって李鴻章が直隷総督に任じられた。

第3章　近代世界に挑戦する清朝

清朝から冊封の使節が那覇港に着いたところ．琉球国王になるためには清朝から使節を迎えて冊封の儀式を受けることになっていた．17 世紀から琉球は薩摩に支配されていたが，清朝の使節には薩摩の影をみせないようにした．清朝との関係こそが琉球王国の存立を支えていたということもできる．「奉使琉球図巻」より（沖縄県立博物館『冊封使』）．

1　明治日本と清朝

一八六二年、徳川政権は、千歳丸《せんざいまる》を上海に派遣した。この背景には、官船を大陸に派遣して積極的に貿易を進める可能性が政権当局者のあいだで議論されていたことがある。すでにその前の年には、箱館《はこだて》奉行所は官船をロシア領の黒竜江河口方面（ニコライエフスク）に派遣していた。

上海の千歳丸

次に、香港と上海が候補に挙げられたが、結局は上海が選ばれ、江戸と長崎の役人が商人をつれてゆくことになった。この目的のため、長崎と上海のあいだを往来していたイギリス人の帆船を買い入れて、千歳丸と名づけたのである。積み込んだ貿易品は、石炭のほか、ふかひれ・いりこ（干したなまこ）・あわびといった海産乾物、薬用人参、雑貨などだった。

上海では、オランダ領事（およびベルギー領事）の役職を請け負っていたクルースを頼った。実はクルースは貿易商であり、千歳丸が運んできた商品はクルースの倉庫に納めたうえで買い手を探すことになった。

この経緯に示唆されるのは、それまで長崎に唐人《とうじん》が来航して海産物などを商っていたことを踏まえて千歳丸の派遣が計画されたということ、そして他方では、清朝と日本が西洋に対して開港し、西洋人がアジア貿易に参入していくという新状況のなかで、この派遣が実現したということである。

千歳丸で上海に到着した役人は、クルースの紹介で、上海道台呉煦《ごく》に面会することができた。呉煦によれば、当方の商人は官が必要とする銅を調達するため日本に渡っているが、日本の人がこちらに来たことはないので、ひとまず貨物はオランダ船による輸入品として通関させるように指示したという(『続通信全覧』類輯之部二九、七一九頁)。つづいて清朝側では、日本が貿易を求めてやってきたことへの対応を議論した。呉煦は基本的には今後も通商を認める方針だったが、日本の動きを懸念する意見もあった。

この千歳丸に乗って上海に訪問した人物として高杉晋作《たかすぎしんさく》が有名である。高杉は長州藩の手配により、従者として同行することができた。高杉は、外国人の支配下に置かれている上海は「英仏の属地」といってもよいと観察し、また清朝の軍備が西洋に劣ることを指摘している(『日本近代思想大系1　開国』二一八頁、二二一頁)。このような視点は、彼のその後の政治運動に大きな影響を与えたものと考えてよい。

千歳丸につづいて、一八六四年には箱館奉行所が健順丸《けんじゅんまる》を上海に派遣した。その後、日本側では、徳川政権の崩壊によって当局者が交替したため、清朝への官船派遣の経験が部分的にしか継承されなかったが、清朝側では総理衙門や曾国藩・李鴻章に対日政策について考え始めるきっかけを与えたことが注目される。

条約交渉のはじまり

明治政府は、清朝との関係をどのようにうち立てるかという課題に直面した。これまでの長崎だけでなく横浜や神戸・函館にも華僑が渡航しており、また日本人も上海で商売をしようとしていたので、その状況への対策も考えておく必要があった。

こうして、一八七〇年、日本外務省は柳原前光《やなぎはらさきみつ》らを清朝に派遣して予備交渉をさせることにした。柳原一行はまずアメリカの郵便船で上海に渡って交渉をはじめ、さらに天津に至った。このときの天津はフランス公使を殺害した教案の処理で落ち着かない状況にあったが、柳原らは条約締結の予備交渉を進めることができた。当初、総理衙門は、条約を結ばないで通商を許すにとどめようと考えていたが、柳原らが強く条約の締結を求めたので、清朝側も条約について交渉を進めることに同意した。

その後、日本にどう対応するか議論するなかで、曾国藩は、最恵国待遇は認めるべきではないが、基本的には他の諸国の先例にのっとるのがよいと提案している。

元の世祖〔クビライ〕のような強い者が一〇万の軍で日本を攻めたのに一隻の船も帰らず、明代の倭寇《わこう》は東南地域を蹂躙《じゅうりん》して大きな被害を与えたのに、これを懲らしめた事例を聞きません。日本は前の時代のことをよく知っていて、もともと中国を恐れる心をもたず、かねてから我々を隣邦と称してもいるので、朝鮮・琉球・越南《えつなん》〔ベトナム〕のような臣属の国とは異なるのです。日本は、対等の地位にあるとして、イギリス・フランス諸国の例にならおうとするのが真意でしょう。聞くところでは、日本は物産が豊かで商品は安く、中国各省とは船で数日にすぎません。条約を結べば日本の商船は次々とやってくるし、中国の商船も絶え間なく日本に渡るでしょう。西洋諸国のように外商が中国に来るだけで華商が出かけていかないのとは、異なります。華人で日本にゆく者が多いとなれば、領事の事例にならい中国は官員を派遣し日本に駐在させて中国から出かけた商民を監督し、また裁きの場を設けて華人と外国人との訴訟を処理しなくてはなりません(『曾国藩全集』奏稿、一二冊、七二〇五頁)。

このように、曾国藩は、日本との条約については、他国とは別の配慮が必要だと考えていたのである。李鴻章の意見もほぼ同様だった。また、李鴻章によれば、柳原は「西洋人は無理に迫って日本と通商を始め、我々は不満をもっていても単独では抵抗しがたいので、中国と好《よしみ》を通じ協力することを願います」と言ったという(『李鴻章全集』四冊、二一一七頁)。

日清修好条規の成立

翌一八七一年、日本政府は、大蔵卿の伊達宗城《だてむねなり》を全権代表として条約交渉に派遣することにし、柳原前光や津田真道《つだまみち》がこれに従った。やはりアメリカの郵便船で上海に渡ってから、天津に北上して李鴻章との交渉を開始した。日本側は、清朝が西洋諸国と結んだ条約と同様の内容を希望していたが、清朝はすでに一八六〇年代に入ってからは条約締結の際には自己に不利な条項をなるべく排除する交渉姿勢をとるようになっていた。

清朝は、これまでの西洋諸国との交渉とは異なり、はじめて自ら条約原案を示し、交渉はこれにもとづいて進められた。九月一三日に調印された日清修好条規は、次のようなことを定めていた。(1)たがいに不可侵の間柄であるだけでなく、第三国から不当な取り扱いを受けたときは助け合う。(2)たがいの首都に大臣を派遣して駐在させる。(3)両国の開港場には、たがいに領事を置いて自国民の管理をおこない、財産に関わる自国民どうしの裁判を担当させる。(4)刑事案件の場合、その事件の発生した国の官吏が逮捕し、領事とともに裁く。

日本側が要望した最恵国待遇も清朝から拒否された。こうして日清修好条規は、おおむね両国の対等性という原則にそった内容をもつことになったのである。また李鴻章が朝廷に対しておこなった説明によれば、相互に所属の邦土を侵さないという規定は、朝鮮などについて日本に対する備えをなすものだという(『李鴻章全集』四冊、三六九頁)。

またあわせて結ばれた通商章程では、貿易を進めるための合意がつくられ、たがいに開港場を越え内地に入って通商するのを認めないことも規定された。

その後、伊達宗城の一行は北京に赴いて総理衙門を訪問し、奕訢《えききん》らと面会した。日本からの正式な使節が、清朝のみやことしての北京に至った最初の事例であろう。日本使節団が帰途ふたたび天津で李鴻章に挨拶にゆくと、李鴻章は次のように言ったという。いま欧洲各国が公使を北京に置こうとするのは、併呑をはかり国威を張ろうとしているからだ。貴国とわが国とは、その通弊を踏まないようにと願う（『大日本外交文書』四巻、二三四頁）。李鴻章は、日本が西洋寄りにならずに、むしろ清朝を助ける存在となることを期待していたのである。

同治帝に謁見する副島種臣

清朝皇帝に対する謁見《えっけん》は、マカートニー以来、西洋諸国と清朝にとって解決困難な課題だった。清朝が求めるひざまずく礼は、西洋諸国の外交官には受け入れがたいものだったからである。一八六〇年代には外国公使館が北京に設置されていたものの、同治帝が幼少で、まだ親政に至っていないことから、謁見儀礼の議論は先延ばしになっていた。

一八七三年二月、ついに同治帝が親政を開始すると、さっそくロシア・ドイツ・アメリカ・イギリス・フランスの五か国の公使が皇帝に謁見して慶賀の気持ちを伝えたいと願い出た。総理衙門や李鴻章は、これを認めるべきだという意見だったが、反対する者もいた。たとえば、翰林院《かんりんいん》編修呉大澂《ごたいちょう》は、外国にはひざまずく礼がないので、きっと西洋の儀礼を採用したいというだろうが、それはあってはならないことだという。「朝廷の礼は代々の皇帝が残された制度であって、今上陛下ひとりが勝手にすることはできないのです」(『籌辦夷務始末』同治朝巻八九、三六一四頁)。

結局は、謁見を許すという上諭がくだされ、総理衙門と各国公使とは双方が納得できるよう具体的な儀礼について相談した。そこへ日清修好条規の批准書交換を終えた副島種臣が国書をもって北京にやってきて、やはり謁見を望んだ。副島は、自分は特命全権大使であって諸国の公使より地位が上だといって、それに応じた待遇を求めた。

こうして、まず副島ひとりが謁見し、そのあと諸国の公使がまとめて謁見することになった。儀礼については、総理衙門は副島や公使たちを招いて事前練習をおこなった。

一八七三年六月二九日、同治帝は紫光閣《しこうかく》で副島を迎えた。紫光閣は、紫禁城の西に附属する皇帝の庭園(今日の中南海の場所)のなかにあり、乾隆《けんりゅう》年間からモンゴル王公などの接待に使われてきた建物である。副島はまず進む途中で止まりながら三回の敬礼(おじぎ)をして中央に至り、台上に国書を置いてさらに一礼し、祝賀の言葉を述べた。これは付き添った日本側の通訳官によって中国語に訳された。それを述べ終えて一礼したところ、同治帝の言葉があった。奕訢がそれを伝えて、「貴国大皇帝の国書を、朕は受け取った」と言った。その訳を聞いて副島は一礼した。また同治帝の言葉があり、同じように伝達と一礼が繰り返された。それが終わると退出しながら、三回の敬礼をおこなった(『大日本外交文書』六巻、一八四―一八五頁)。

つづいて、五か国(露・米・英・仏・蘭)公使が国書をささげ、ほぼ同様に謁見が進められた(ドイツ公使は、たまたま帰国していたため不参加)。さらにフランス公使のみ、かつて天津教案についての謝罪を受けたことに対する大統領の返書を奉呈した。

こうして、副島は、新しい方式で清朝皇帝に謁見した最初の人物となった。もっとも、同治帝は一八七五年に死去し、次の光緒帝《こうしょてい》も幼少だったため、またしばらく謁見儀式はおこなわれないことになった。

琉球と台湾

琉球王国は、実質的に薩摩に従属しながらも、それを隠すようにして福州に進貢船を派遣し、使者は北京で清朝皇帝から接待を受けていた。また琉球国王の代替わりの際には清朝から冊封《さくほう》の使者が首里《しゅり》に至って儀式をおこなうことになっていた。

しかし、一九世紀になると、イギリスなどの船が意図的に琉球に渡来するようになった。とくに、アヘン戦争ののち一八四〇年代半ばになると西洋の船の来航は頻繁になった。

一八五三年、アメリカのペリー艦隊は日本に向かう途上で那覇《なは》に寄港した。翌五四年、ペリーは江戸湾に至って条約交渉を進めたが、アメリカ側が開港してほしいと望む候補地のなかに那覇も含まれていた。徳川政権は那覇開港について議論することを断ったが、琉球の位置づけを対外的にどのように説明するかという課題は残った。ペリーはつづいて那覇に至り条約の締結を求めたので、琉球は薩摩の承認のもとでアメリカとの修好条約に調印した。さらに琉球は、一八五五年にはフランスと、一八五九年にはオランダとも条約を結んだ。

　このような経緯から、明治政府にとっても、琉球に対する政策をどのように定めるかということは、頭を悩ます問題だった。一八七一年、琉球王国の支配下にあった宮古島から貢納物を那覇に運んだ帰りの船が台湾に漂着した。漂着民の多数は運悪く現地の台湾先住民に殺されてしまった。生存者は、かろうじて清朝の保護を受けて福州から帰国することができた。これに対して日本では台湾に出兵すべきだという強硬意見も現れた。

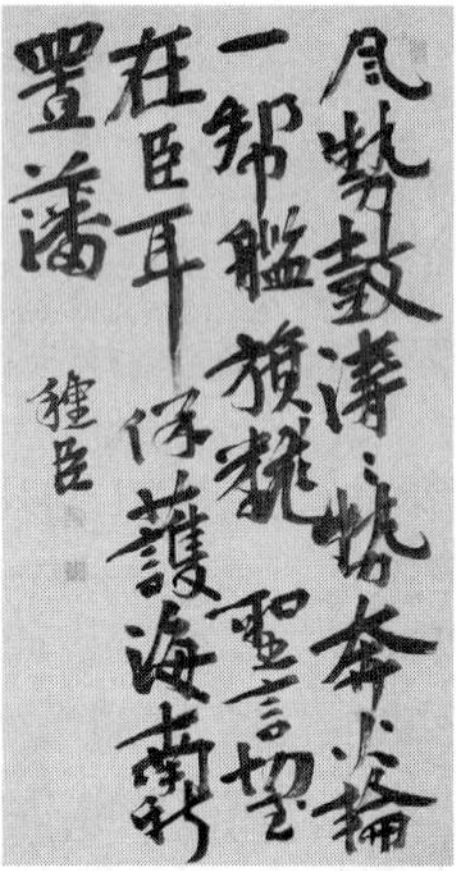

清朝に使節として赴くときの所感を副島種臣が詠んだ漢詩．力強い独特の書体で副島が自ら記した（石川九楊編『蒼海 副島種臣書』）．大意「強い風にあおられて波が勢いよくうねる．一団の汽船は旗をひるがえしている．天皇陛下のお言葉ははっきり自分の耳に残っている．それは南の島に新たに置いた琉球藩を保護せよというものだ」

　一八七三年、副島種臣が日清修好条規批准のあと北京に行ったとき、総理衙門に柳原前光らを遣わして、台湾に対する清朝の施策をさぐらせた。柳原はまず、澳門《マカオ》はポルトガル人がおさえているようだが、もし澳門で日本人について事件が発生したら清朝は対応できるかと尋ねた。総理衙門側は、対応できないと答えた。柳原は、さらに朝鮮と清朝の関係についても問い、清朝からみて朝鮮は属国だがその内政・外交には関与しないという回答をひき出した。

ついで柳原は、本題である台湾の事件に話題を進め、台湾に報復の出兵をおこなう日本の政策について誤解のないように説明したいと述べた。総理衙門側はすぐ、殺されたのは琉球人であって日本人ではないと聞いており、琉球はわが藩属だと反論した。柳原のほうも、わが国は長年のあいだ琉球を慈しんでいて薩摩に附属しているので、琉球人は日本人といってよいと指摘した。柳原は、話をずらして、貴国は殺害事件を起こした「生蕃《せいばん》」(先住民をさす)を処罰したのかと問うと、総理衙門大臣たちの答えは、「生蕃」は王化に服さないので統治の対象とはしていない、暴力をおさえきれないのは清朝の教化が及んでいないからだというものだった(『大日本外交文書』六巻、一七七―一七九頁)。柳原ら日本政府の側が、この問答から得た解釈は、台湾先住民とは無関係だと清朝側が主張したというものである。ただし、この総理衙門でのやりとりを知った李鴻章の認識は必ずしもそうではなく、その談判での柳原の態度は「言葉は傲慢で脅迫を意図している」と他の地方高官に伝えているにとどまる(『李鴻章全集』三〇冊、五三九頁)。

帰国後まもなく副島は政府を離れたが（明治六年の政変）、大久保利通《おおくぼとしみち》らは反対をおしきって台湾出兵方針を進めていった。イギリスやアメリカはこれをおさえようとしたが、一八七四年、結局、司令官の西郷従道《さいごうつぐみち》は遠征軍を動かし、台湾の先住民を攻撃した。清朝は、日清修好条規を結んだばかりの日本がこのような軍事侵攻をおこなったことに驚き、防備を固めた。しかし、両国とも本格的に戦争を起こす余力はなく、大久保利通が北京に赴いて、イギリス公使ウェイドの仲介も得ながら、何とか交渉で事態を収めた。

沖縄県の成立

右に紹介した柳原と総理衙門大臣との問答でも、琉球の地位については全く意見の一致をみなかった。この点では日本政府はひとまず清朝との論争を避け、台湾出兵と並行して、琉球を併合する具体的な施策を進めていった。当時の琉球国王は尚泰《しょうたい》であり、一八六六年には清朝の使節を迎えてすでに冊封の儀式を済ませていた。これに対し日本政府は、一八七二年、まず明治天皇の名をもって尚泰を琉球藩王に任じ、つづいて琉球王国がアメリカなどと結んだ条約については東京の外務省が管轄することにした。

さらに、一八七五年には、清朝との冊封・進貢の関係を日本政府が絶とうとしたので、琉球士族は強く反発した。清朝への藩属こそが琉球王国の存続の鍵を握っていたからである。琉球からは密使が福州に派遣され、その事態を清朝に伝えた。また琉球側は日本政府に対しては「信義」の尊重を根拠として冊封・進貢の継続を請願した。しかしそれもむなしく、一八七九年、日本政府は兵士・警官を琉球に派遣し、琉球藩を廃して沖縄県とした（琉球処分）。

ところが、清朝は、このような日本の琉球併合政策をそのまま受け入れることはできなかった。たとえば、駐英公使郭嵩燾《かくすうとう》は、国際会議を開いて琉球の独立を認め、今後の朝貢は免除するのがよいと提言した。しかし、その実現可能性はわからなかった。

おりしも、前アメリカ大統領グラントが清朝を訪問した。グラントは、南北戦争で北軍の最高司令官を務めたあと、八年間大統領だった人物である。グラントは、奕訢や李鴻章から琉球問題での調停を依頼され、次の渡航地である日本で明治天皇に謁見した際に、琉球を日清で分割することにより解決する案を提議した。

こうして一八八〇年、琉球のうち北の部分は日本領とし、宮古・八重山《やえやま》のみ清朝に属するという方向で交渉が進んだ。日本は、その代償として、双務的な最恵国待遇を求めた。李鴻章は、宮古・八重山に琉球王国を再興させようと考えていたが、その王の候補として想定していた亡命琉球王族は、分割案を断固として受け入れなかった。ほかにも、清朝の側では分割案に反対する意見が強く、結局、この条約が成立することはなかった。

清朝はその後も日本との外交交渉の場で琉球の帰属問題をもち出すことがあったが、日本側は真剣にそれを議論するつもりはなかった。日本は、沖縄県という枠組みによって統治を進めていった。

清朝の成立後まもなく、朝鮮は軍事侵攻をうけて清朝を「上国」と仰ぐ立場におかれ、一八世紀にも頻繁に使者を北京に派遣していた。北京に使節として来た朝鮮の士人たちは、そこで清朝の士人たちと交流して儒学のありかたについても語り合ったし、なかにはカトリックの教会を参観する者もいた。

また、朝鮮は日本の江戸にもときどき通信使を送り、また対馬《つしま》を通じて日本と貿易もおこなっていた。これを交隣の関係という。日清修好条規の成立交渉まで、清朝と日本とは政府どうしの連絡はなかったから、朝鮮にとってみれば、清朝との関係、そして日本との関係は、別個に考えておけば、だいたいにおいて問題なかったのである。

朝鮮の動向

欧米諸国との接触は、朝鮮王朝に新たな課題をもたらした。一八六三年、高宗《こうそう》が国王となるとその実父である大院君《たいいんくん》が政治を実際に動かすようになった。朝鮮政治の基本理念は朱子学に置かれていたから、清朝経由で伝来したカトリックは厳しい弾圧の対象となった。一八六六年、フランス人神父が処刑されたことから、フランスは軍艦を朝鮮に派遣して戦闘となった。その一か月ほど前、アメリカ武装商船シャーマン号も貿易を求めて朝鮮に至ったところ、焼き討ちにされた。

フランスもアメリカも、すでに北京に公使館を置いていたので、清朝の総理衙門に対して苦情を申し入れた。朝鮮が清朝の属国であるからには、清朝に責任をとって対応してほしいとの要請である。しかし、清朝は、朝鮮は属国ではあるけれども「自主」なのだと回答した。これは、清朝の従来の考え方を説明したものではあるが、フランスやアメリカが感じとったように一種の責任回避という側面もあったといえるだろう。他方で、朝鮮の側は、清朝の属国であるので勝手に他国と関係をもてないという説明をしており、そこには清朝から現実的な庇護を得ようとする意図が含まれていた。

日本は、一八七五年、軍艦を朝鮮に派遣したところ、江華島《こうかとう》において紛争をひきおこし、朝鮮側と砲火を交えるに至った。これをきっかけに条約交渉を開始し、翌七六年、日朝修好条規を結んだ。その第一款には朝鮮国は「自主の邦」であり、日本国と平等の権をもつとあった。日本からすれば、これで主権国家どうしの条約関係が始まったとみたが、朝鮮の側はそのような画期的な意味ではこの条約をとらえておらず、旧来の交隣の関係を再定義したとみなしていた。

ハワイ国王の清朝訪問

ハワイは、北太平洋上のポリネシアの北端にある。一八世紀後半にはヨーロッパ人がしばしば来航し交易を始めた。ヨーロッパ人との交易で得られた火器を利用して一八一〇年にハワイ統一をなしとげたのが、カメハメハ一世である。このころ、ヨーロッパ人はハワイ産の白檀《びゃくだん》を欲しがり、その交易はハワイ王権の経済的基盤となった。白檀はとくに中国での需要が大きく、儀式のときに使う線香や香りつき扇の製作に用いられて

カラカウア王．ハワイの自立をめざして努力したが志半ばにして病死した（Ralph S. Kuykendall, *The Hawaiian Kingdom*, vol. 3）．

いた。一八三〇年ごろにはハワイの白檀は尽きてしまったが、今でも中国語でホノルルのことを「檀香山《だんこうさん》」というのはこの白檀交易に由来している。一九世紀半ばにはサトウキビなどのプランテーション経営が始まり、華僑もその労働力となった。この過程で、次第にハワイのアメリカ合衆国への経済的従属の傾向が強まっていった。

そのようななかハワイ国王となったカラカウアは、王国の再建という課題を胸に、一八八一年、世界一周をおこなった。彼は、その途中、まず日本に立ち寄り、ついで清朝も訪問した。上海から天津に至ったカラカウアは、李鴻章の配下として輪船招商局で働く唐廷枢《とうていすう》と話をする機会があった。唐廷枢によれば、カラカウア王はヨーロッパ人の脅威に対抗するためにアジアが連帯することが大切だと説き、引き続いて李鴻章をドイツのビスマルクにたとえ、清朝が近隣諸国を団結させてアジアの興隆を担うべきことを勧めた。そこには、自国ハワイも含めアジア人が団結するという一種のアジア主義の論理が用いられている。

ついでカラカウア王は、李鴻章とも会談し、ハワイの国情について説明した。李鴻章のほうは、日本の対外発展姿勢を警戒するようカラカウア王に忠告した。ここには、日本の琉球処分に対する李鴻章の警戒がみられる。とはいえ、カラカウア王もその事情を知ったうえで、対立を乗り越えて日清両国が団結すべきことを進言したのであり、また日清両国との連帯にハワイ王権が存続する可能性を模索していたことがわかる。日本に不信をいだく李鴻章も、カラカウア王が日清対立の仲裁をかってでたことを理解し、王の人となりを評価する言葉を残している（『李鴻章全集』三三冊、一七一一九頁）。

しかし、カラカウア王の夢もむなしく、その没後に即位した妹リリウオカラニの代でカメハメハ王朝は権力を失い、一八九八年、ハワイはアメリカ合衆国に併合された。

２　ロシアの進出とムスリム反乱

ロシアと清朝の条約

ロシアと清朝の公式関係は、キャフタ条約（一七二七年）の枠組みのなかにあり、キャフタを経由する陸上貿易がなされていた。アヘン戦争後、イギリスなどが上海をはじめとする五港を利用した海上貿易を展開するようになると、ロシアもこれに参加したいと申し出たが清朝は許さなかった。

中央アジア方面では、ロシアが着々と勢力を拡大していた。清朝に隣接するカザフやコーカンドはいずれも一九世紀半ばにロシアの影響下に置かれるようになった。それまで、カザフやコーカンドの商人は、カシュガル、イリ(クルジャ)、タルバガタイ(チュグチャク)などを通って、東トルキスタン一帯に入り交易を営んでいたし、実はロシア籍商人もこれら中央アジア系の商人にまぎれ込んでいた。

ロシアとしては、中央アジアにおける自己の勢力拡大を踏まえて、この地域を経由した交易秩序についても新しい制度をつくっていくことが必要となった。ロシアの要請にもとづき、一八五一年、清朝はイリ将軍の奕山《えきさん》に命じてロシアとイリ通商条約を結んだ。ロシアは、イリとタルバガタイにおける自由かつ無税の交易や領事裁判権といった大きな特権を獲得した。これは清朝がこれまでのキャフタ条約で認めていた権利を中央アジア方面での通商にも拡大したという側面があり、アヘン戦争後のイギリスなどとの条約と同様に、貿易を許すことで紛争を防ごうとする意図にも由来していた。

他方、東のほうの国境画定も課題となっていた。一八四七年、東シベリア総督に任命されたムラヴィヨフは、さかんに黒竜江(アムール川)に進出をはかった。この情勢のなか、清朝側の奕山とムラヴィヨフのあいだで一八五八年、愛琿《あいぐん》条約が結ばれた。この条約は、黒竜江の左岸

(北側)をロシア領とし、黒竜江の支流にあたるウスリー江と海とのあいだの地域を両国の共有と定めた。

おなじころ、ロシア海軍のプチャーチンは海上から清朝に迫った。プチャーチンは日本に来航して日露和親条約(一八五五年)を結んだ人物である。プチャーチンは、第二次アヘン戦争で清朝が苦境にあった一八五八年、英仏の動きに便乗するかたちで天津条約を結んだ。ここにはじめてロシア人は清朝と海上交易をすることが認められた。

さらに、一八六〇年に英仏軍が北京に至ったとき、ロシアは双方を仲介した。そしてロシアが清朝と結んだ北京条約においてウスリー江の東側の地域(沿海州)はロシア領となった。

このように第二次アヘン戦争の時期に、ロシアにとって非常に有利な形で東部国境の大枠が定められた。そして、ネルチンスク条約とキャフタ条約は廃棄され、清朝の側では、理藩院《りはんいん》に代わって総理衙門(一八六一年新設)がロシアとの交渉を担当することになった。

回民の蜂起

一八六二年、太平天国の一派が陝西《せんせい》省に接近すると、その地元では緊張が高まった。渭河《いが》にそった華県では、漢民と回民との対立がすでにみられたが、太平天国に対して自衛武装をする際に、ますます相互の不信が高まり、ささいな紛争から抗争に至った。回民は皆殺しにされるとの噂から、ついに蜂起した。こうして、陝西省は、太平天国軍の侵入も重なって、大混乱に陥った。回民の動きは、甘粛《かんしゅく》省にも広がった。清朝軍が鎮定作戦を進め

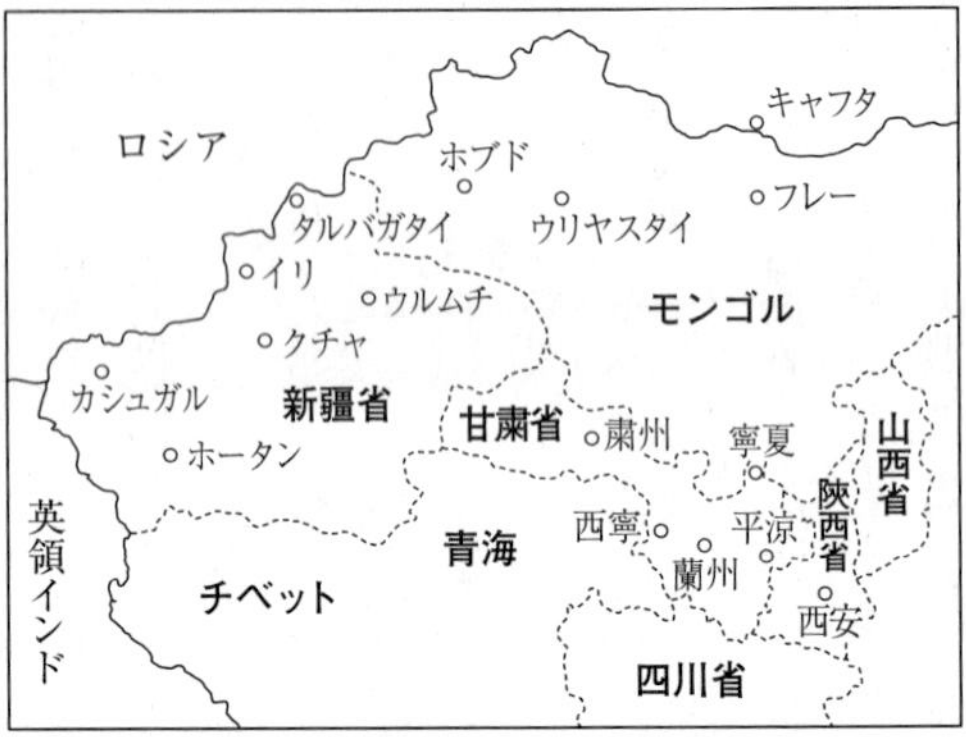

19世紀末の西北諸省

たので、陝西省の回民は甘粛へと逃れた。

こうして、甘粛各地に回民が勢力を広げ、清朝も鎮圧に手をやいた。さらに捻軍の一部が陝西に入ってくると、陝西では再び回民の活動がめざましくなっていった。清朝は、左《さ》宗棠《そうとう》を陝甘《せんかん》総督に任じて彼の率いる湘軍に回民の鎮圧をまかせた。左宗棠は一八六八年から本格的に陝西の平定を開始し、つづいて甘粛に軍を進めて、回民の馬《ば》化竜《かりゅう》と対決した。馬化竜は、この地に中央アジアから伝わった新しい教えジャフリーヤの指導者であり、霊州の金積堡《きんせきほ》を拠点としていた。ジャフリーヤとは独特の修行法によってイスラームを深めようとするスーフィズムの一派である。馬化竜は包囲されて降伏したのち、左宗棠によって処刑された。

左宗棠は、イスラームのなかでも、とくに新しい教えを大いに警戒していた。なぜなら、超自然的な奇跡を示すことで、回民の宗教感情に強く訴えかける傾向があると考えていたからである。金積堡を攻めおとしたあと捕らえた者の供述によれば、馬化竜は予知能力があり、遠来の客が来るとき何人連れだっているかを事前に知ることができた。また、病気を治し子宝を授けるなどの霊異をあらわした(『左文襄公全集』奏稿三八、六三―六四葉)。このような点は、イスラーム聖者がしばしば示す奇跡といえるが、左宗棠の観点からすれば、回民がこのような宗教指導者のもとに団結して抵抗することに脅威を感じていたことになる。

西寧のモスク(東関清真大寺)．現在の西寧は青海省に属し，回族などイスラーム信徒の多い都市である．このモスクは，伝統的な建築様式で建てられている(2004 年，著者撮影)．

次に、左宗棠は河州(現在の臨夏)の馬《ば》占鼇《せんごう》と戦った。馬占鼇はサラールの人々と連合して、清軍を破ったうえで、清朝に投降した。左宗棠としても、馬占鼇と死闘を繰り広げるより、これを受け入れて今後の回民鎮圧に利用しようと考えたようである。なお、馬占鼇は、イスラームの新しい教えとはむしろ対立する古い教えに拠っていたということも、帰順の背景にあったのかもしれない。こうして、馬占鼇の兵力は温存され、その後、民国時期にかけて回民の率いる軍事集団が次々と河州から出てくる背景となっていく。

左宗棠は、つづいて劉錦棠《りゅうきんとう》の率いる湘軍によって西寧《せいねい》と粛州を鎮定し、一八七三年、甘粛省をほぼ回復した。回民の蜂起は、地元の漢民との対立にもとづく自己防衛的な意味あいも強く、必ずしも清朝との対決を意図したものではなかった。馬占鼇だけでなく馬化竜も何度か清朝に投降しようとしていたぐらいである。また回民の蜂起は、多数の指導者にそれぞれ率いられたものだったため、左宗棠によって各個撃破されていっただけでなく、馬占鼇のように左宗棠に従った者もいた。

左宗棠にとって課題となったのは、鎮圧した回民の処遇である。とくに、陝西から甘粛に入り込んだ回民は、甘粛省の平涼《へいりょう》などに強制入植させることにした。また、漢民と回民とを分離する方針をとり、回民が城内に居住するのを禁止した。

中央アジアの動乱

一八六四年、新疆にある天山南路のオアシスで、清朝に対する反乱が起こった。その中心となったクチャのホージャ家は、いくつものオアシス都市に勢力を広げた。

これに対し、一八六五年、コーカンド・ハン国から派遣された将軍ヤークーブ・ベグが新疆のカシュガルに入り、東に向かってオアシス都市の征服を進めていった。クチャのホージャ家もおさえて支配領域を拡大したヤークーブ・ベグは、自立的な政権をつくりあげていった。

このころ本国のコーカンドがロシアの南下政策のもと圧倒されていたことも、ヤークーブ・ベクの征服活動の背景にあった。ヤークーブ・ベグの政権の中枢をなしたのは、天山山脈ぞいのオアシス都市の人々ではなく、コーカンド・ハン国からやってきた人々だった。ヤークーブ・ベグは、イスラーム法の貫徹をめざしたと指摘されている。

彼は、国際関係にも意を用いた。オスマン朝に使節を送って「アミール」の称号を得ただけでなく、英領インド政庁やロシアとも通商協定を結んだ。中央アジアに勢力を拡大しつつあるロシアはさらに南下をもくろみ、イギリスはインドに拠ってこれに対抗しようとしていたが、ヤークーブ・ベグはその情勢のなかで政権の維持をはかっていたのである。

しかし、左宗棠の軍はヤークーブ・ベグ軍を破って西に進んでいった。一八七七年、イギリスは、清朝とヤークーブ・ベグとのあいだを仲介する姿勢をみせた。ヤークーブ・ベグ政権を清朝の保護国としてカシュガルなどの支配を認め、戦火を収めたらどうかという提案だった。イギリスは、ヤークーブ・ベグ政権をインドとロシアとの緩衝国にすることを意図していた。公使としてイギリスに派遣されていた郭嵩燾《かくすうとう》はイギリス政府の働きかけをうけ、その提案を受け入れることを朝廷に勧めた(『清季外交史料』巻一一、一―五葉)。しかし、まもなくヤークーブ・ベグは死去した。

左宗棠は、イギリスの仲介と郭嵩燾の主張に反発した。左宗棠によれば、カシュガルは漢代から中華に従っていて、われわれ固有の土地であり、イギリスが緩衝国を欲しくても、中国から土地の割譲を求めるのは道理にあわないというのである(『左文襄公全集』奏稿巻五一、一七―二

○葉)。

ヤークーブ・ベグの死後、その政権はたちまち瓦解していった。左宗棠は、翌七八年には新疆をほとんど再征服した。オアシス都市の住民も、すでに外来のヤークーブ・ベグ政権を熱烈に支持する気持ちをもたなかったようである。ムスリム住民は、異教徒による支配をも神の摂理として受け入れるなど、複雑な自己規定をいだきつつ、清朝の政治体制のなかで生きていくことになった。

こうして、清朝は、ムスリム政権を消滅させ、ロシアとともに中央アジアを分割することになった。これは左宗棠の軍事作戦によるところが大きかったが、その軍費を支えたのは清朝が沿海部での外国貿易から得た関税収入だった。

ロシアのイリ占領と返還問題

左宗棠が征服できずに残されたのが、イリ地方である。ここはロシア軍に占領されていたからである。

イリ地方は、西に流れるイリ川流域の盆地にあたり、水の豊かな農業地帯である。かつてジューンガルの拠った土地だったが、清朝はここを征服して中央アジア支配の拠点としてイリ将軍をおき、さまざまな人々を入植させた。たとえば、農業労働力としてトルコ系の言葉を話すムスリムを天山山脈の南のオアシス地域から移動させたり、満洲語に近い言葉を話すシベの兵をイリ川の南に駐屯させたりした。清朝にとってイリは流刑地でもあり、洪亮吉や林則徐なども一時ここに流されたことがある。イリ川の北にあるクルジャの街は、一八五一年のイリ通商条約以降、ロシアと清朝との交易拠点としてますます栄えた。

ところが、前に述べたように一八六四年に新疆で反乱が起こり、その影響はイリにも及んだ。イリも清朝に対する反乱勢力がおさえるようになり、ロシアとの交易にも支障がでてきた。そこで、一八七一年、ロシアはイリ地方を占領した。清朝はこれに抗議したが、陝西から新疆にかけて動乱のなかにある現状では、どうしようもなかった。

左宗棠によって天山南路・北路のオアシス都市が再び清朝の支配のもとに置かれたあと、一八七九年、清朝は崇厚《すうこう》をロシアに派遣して交渉させた。その結果、クリミア半島ヤルタ近くにあるロシア皇帝の避暑地で条約が調印された。

これは、その地名をとってリヴァディア条約と呼ばれる。しかし、イリ返還の代償として、広大な領土をロシアに割譲するなど、清朝に著しく不利な条項が含まれていた。崇厚は、本国とよく連絡をとらずに調印してしまったのである。

これは清朝の国内で大問題となった。崇厚を批判して、ロシアとの開戦を主張する意見すら提出された。たとえば、北京のエリート官僚だった張之洞《ちょうしどう》は、イリを回復してもそれほどの意味はないが、そのかわりにロシア商人が内地に入り込んで通商することを認めるなどの措置はロシアの勢力伸張を許すことになると指摘した。「ロシアの要求は貪欲・横暴を極め、それを認めた崇厚の過ち、愚かさには言葉もありません」。いまこそ、崇厚を処分して、ロシアと一戦をなすべきだというのである（『張文襄公全集』巻二、三葉）。

このような状況のなか、朝廷は崇厚に死刑を言い渡した。一時は開戦かと緊張が高まったものの、イギリス・フランスのとりなしもあり、ひとまず崇厚の死刑は撤回され、曾紀沢《そうきたく》がロシアに赴いて再び交渉することになった。曾紀沢は、曾国藩の息子である。

こうして一八八一年に結ばれたのが、サンクト・ペテルブルク条約である。その交渉過程では、曾紀沢は電報で北京と連絡をとって慎重にことを進めた。内容としては、イリの返還が最終的に決められたのに加え、清朝にとって不利な点をかなり少なくすることになった。

新疆省の成立

左宗棠が新疆を征服するまでには、実は多少の経緯があった。一八七三年の甘粛の平定ののち、勢いとして次は新疆に兵を進めることが予定されていた。そこへ翌七四年、日本が台湾南部に出兵する事件が起こったのである。日本の動きは、清朝に大きな衝撃をあたえ、海防の強化が必要だという意見が強まった。

李鴻章はとくに大胆な議論をおこない、新疆はロシア・イギリスの進出が激しく、容易に守りきれないから、清朝は新疆を放棄すべきだと主張した。この意見に対しては、ロシアの脅威を強調して新疆への西征が不可欠だという反論が寄せられた。その背景には、軍備にかかる支出を新疆征服にまわすべきか、海防にまわすべきかという財政配分の問題があった。そして、結局のところ、朝廷は、左宗棠に新疆を征服させることに決定したのだった。

左宗棠は、あらためて清朝の支配下にもどした新疆に対して、他の省と同様の行政機構をおくことを提案した。これは、行政の末端に県をおいてそこに地方官を派遣する体制をとることを意味している。ただし、左宗棠は、イリ返還交渉の時期に、転勤を命じられた。

この仕事を継いだのが、左宗棠のもと湘軍で戦ってきた劉錦棠《りゅうきんとう》である。一八八四年、ついに新疆省が成立した。劉錦棠は巡撫に任じられ、迪化《てきか》(ウルムチ)に駐在することになった。新しい体制は、県の役所を設けて文官を任命するとともに、財政を他の省に依存しながら各地に軍を配置するというものだった。住民への対策としては、義塾をもうけて漢語を教え込むことをめざした。

一八八一年のサンクト・ペテルブルク条約第一二条では、ロシア籍の者は、イリ、タルバガタイ、カシュガル、ウルムチなどでの交易について、ひとまず免税とすることが定められていた。こうして、新疆にはタタール人などロシア国籍をもつムスリム商人が多くやってきた。二〇世紀はじめ、これらタタール商人の広い交流圏を通じて、ジャディード運動、つまり新方式の学校によって近代的知識をもったムスリムを育てようとするイスラーム改革運動が新疆に伝わり、民族意識を育んでいくことになる。

3　海外移民の展開

マリア・ルス号

一八七二年七月九日晩九時ごろ、横浜港に帆船が入港した。これは、南米ペルーの船マリア・ルス号であり、港湾当局は伝染病を恐れてひとまずは上陸しないように指示した。翌日臨検してみると、この船は澳門《マカオ》を五月二八日に出航してペルーのカヤオ港に向かう途中、帆柱が破損したので修理のため横浜に寄港したことがわかった。乗客は二三一人の中国人と報告されたが、港湾当局は、船員もふくめて病人のいないことを確認した。ペルーは日本と条約を結んでいなかったが、所定の手続きを経て、神奈川県庁はマリア・ルス号の停泊・修理を許した(『大日本外交文書』五巻、四一二―四一三頁)。

ところが、七月一四日の夜、やはり横浜港に泊まっていたイギリス軍艦が海中に一人の男を発見し、助けあげてみるとマリア・ルス号から泳いできたという。イギリス公使館から日本政府にこのことが伝えられ、調査が進むと、この船の乗客が虐待されている実態がわかってきた。外務卿の副島種臣は、この件について毅然たる態度で対応することにした。

実は、マリア・ルス号は、クーリー貿易に従事していたのである。クーリーとは、おもに年季労働契約を結んだ中国人を指す言葉であり、おそらく語源はインドの言葉に由来するが、漢字では「苦力」とあてる。マリア・ルス号の場合もそうだが、クーリー貿易においては自由意志によらず詐術・誘拐によって船に乗せられた者が多く、この乗客たちが船長たちに反抗することから暴力的な抑圧も起こりがちだった。

日本政府はマリア・ルス号を出航差し止めとし、中国人の乗客を全員上陸させた。これを不服とするマリア・ルス号船長の申し立てがあり、神奈川県が審理を進めたが、結局、船長は敗訴して帰国した。この一件については、さらに日本とペルーのあいだで外交交渉が進められ、結局は仲裁の判定をロシア皇帝アレクサンドル二世にゆだねたところ、やはり日本の措置が正当と認められた。

注目されるのが、マリア・ルス号の乗客だった中国人の行方である。副島種臣は上海に駐在させていた部下を通じて清朝側と連絡をとったところ、両江総督は自分の下僚を日本に派遣してきた。こうして中国人の乗客は、上海にむけて出発することができたのである。このような清朝と日本政府とのやりとりは、翌年の副島種臣の訪清を円滑にしたものと考えておいてよいだろう。副島が天津で李鴻章に会ったときも、李鴻章はマリア・ルス号の一件での善処に謝意を示している。

移民の新時代

中国大陸から海を越えて移動する人の流れは、長い歴史をもつ。一八世紀でいえば、フィリピン・ジャワ・東南アジア大陸部などへの移民は、その人数を統計的にとらえることは難しいものの、相当な規模に達していたとも考えられる。確かに清朝政府は、海外への移民を喜んではいなかったが、厳格に禁止しようともしていなかった。東南アジアの主要な港市には、福建や広東などを出身地とする人々が住み着いていた。

むろん、一九世紀半ばにさらに活発になる人の流れは、このような経緯を踏まえて理解することができる。しかし、この時代特有の背景にも十分に目を向ける必要がある。それは、労働力の需要のありかたが大きく変わってきたことである。たとえば、アメリカ合衆国やカナダの太平洋岸の発展、東南アジアにおける植民地化の進展のなかで進んだ経済開発などは、移民にとっては仕事の新たな機会をもたらした。

まず、きっかけとなったのが、一八四八年のカリフォルニアでの金鉱発見である。ゴールド・ラッシュはむろんさまざまな人々の心をひきつけ、カリフォルニアの急速な発展に寄与した。そして、広東からの移民もやはり一攫千金《いっかくせんきん》の夢に引き寄せられていくことになった。

広東出身の人々は、まずサンフランシスコにチャイナタウンをつくり出した。広東のなかでも地域による方言差は大きく、出身地ごとに人々は同郷会館をつくった。移住について一般的に言えることだが、同郷の絆が新来者の勧誘に使われるので、ある場所への移民は特定の出身地の者が多数を占めるという現象がおこる。カリフォルニアでは、広東でも富裕な珠江デルタ中央部にあたる三邑《さんゆう》の出身者が人数としては相対的に少ないものの経済的に優位を占めていて、輸入品の商店経営などに従事した。これに対し、珠江デルタから西のほうの地域にあたる四邑《しゆう》からの移民は多数派だった。アメリカの大陸横断鉄道の建設にも、これら広東出身者の労働力が多く投入された。

サンフランシスコのチャイナタウンで同郷会館が重要な意味をもっていたのは、金銭貸借の保証となっていたからでもある。すなわち、かりに帰国しようとする場合には、すべての借金を返済したことを同郷会館に証明してもらう必要があった。これは、移動の激しい社会において金融面で信用をつくり出す役割を同郷会館がもっていたことを示している。当然ながら同郷会館は郷里とも連絡がとれるので、借金を負った者は容易に逃げられない。だからこそ、その者に比較的安心して金を貸すことができるというわけである。

アメリカの風刺漫画．ニューヨークに自由の女神があるなら，サンフランシスコには辮髪をつけアヘン煙管をもった華人の像をつくったらどうか．華人移民の多さを皮肉る（『美国早期漫画中的華人』）．

南北戦争後のアメリカ合衆国では、誰が社会の正当な構成員となりうるかということが問われていた。ヨーロッパ方面からの移民のなかでも、カトリック系のアイルランド人などアメリカ社会でも比較的劣位に置かれた人々が強調せざるを得なかったのが、自分たちは「白人」だという点だった。とすれば、「白人」でなく、選挙権もない中国系移民は、排斥の対象となりかねない。実際、一八七七年に結成されたカリフォルニア勤労者党は中国系移民に対する排斥活動を激しく進めていった。チャイナタウンに居住と生活が限定されがちになったのは、そのような環境も関係していたといえるだろう。

クーリー貿易

一九世紀の国際的な労働力需給に対して大きな影響を与えた要因として注目すべきなのは、奴隷制度に対する人道的な批判の高まり、ひいては欧米諸国における奴隷制度の廃棄である。自由主義的な世論を背景としながらイギリスは一八〇七年に奴隷貿易を禁止し、一八三三年には奴隷制そのものを廃止することとした。フランスやオランダも次第にこれにならった。この奴隷解放は、カリブ海や新大陸の各地に労働力の不足をもたらした。中国大陸からのクーリーは、それを補うために求められたのであり、とくにキューバやペルーへのクーリー貿易は、虐待がひどいということで悪名高かった。

フランス革命と関係をもちながら展開したハイチ革命は、黒人奴隷解放の顕著な先駆となったが、ハイチだけでなく英領ジャマイカなどでも奴隷解放によって砂糖生産は衰退に向かった。これに対しスペイン領のキューバは一八八六年まで奴隷制を維持し、砂糖生産を飛躍的に増やしていった。奴隷貿易が制限・禁止されていく流れのなかで、キューバ糖業は深刻な労働力不足に直面することになり、中国人クーリーの導入が求められたのである。

またペルーでは、もともとアフリカ系の人々は多くなかった。独立したペルー共和国では、大農園における綿花・砂糖などの輸出向け生産やグアノ(肥料となる鳥の糞)採掘、鉄道建設など、激しい労働に従事する人々がどうしても必要だった。そこで注目されたのが、やはり中国人クーリーだった。

クーリー貿易は、一八四〇年代半ばから始まり、一八六〇年代まで盛んにおこなわれた。多くとられた航路は、澳門を出航した船がインド洋からアフリカ南端を経て大西洋を北上してキューバ島に至るか、太平洋を越えてペルーのカヤオ港に着くというものだった。たまたま横浜に寄港したマリア・ルス号は、その後者の航路でゆく予定だった。

クーリーは、ある期限を決めてその間は移民先で指示された労働に従うという年季契約を結んでいた。しかし、そこには多くの問題があった。まず、だまされて船に乗せられたり、誘拐によってクーリーとされたりする事例が非常に多かった。しかも、熱帯を横切る航海中には劣悪な衛生環境やひどい食事しか与えられなかった場合もあった。このようなことから、船上での病死・自殺も珍しくなかったし、ときにクーリーたちが反乱を起こした事例もあった。しかも、渡航先のキューバやペルーでは、厳しい条件で使役されることが普通だったのである。

清朝による華僑への関心

清朝も、この問題について認識しなかったわけでない。しかし、クーリー貿易は、必ず外国人が関与していたことから、有効な成果をあげようとするならば外国政府との協力が不可欠だった。イギリスが一八五五年に制定した中国人船客法は、早期の取り締まり規則である。これによれば、当局が船の装備を検査し、さらに移民が自発的なものかどうか確認しなければ香港および中国諸港からの出航を許さないことになっていた。しかし、その抜け道も大きかったうえに、かえってポルトガルのおさえる澳門がクーリー貿易の拠点として栄えることになった。

一八六六年には、総理衙門がイギリス・フランスと交渉のすえ、中国人を海外に連れ出して働かせるにあたっての規則を定めた。たとえば、地方官の検査を経なければ労働者の出国を認めないといった内容をもつ。これは調印には至ったものの、英仏政府の批准を得られなかったし、しかも、スペインやポルトガルについては適用対象となっていなかった。それでも、清朝の中央政府がクーリー問題を深刻に受けとめ管理を進めようとしていたとはいえる。

一八六九年、北京の総理衙門は、ペルーから来た嘆願書をアメリカ公使を通じて受け取った。これはペルーの首都リマに在住する華民が自分たちの厳しい境遇を訴えた文書で、リマ駐在のアメリカ公使が転送したものだった。これをうけて、清朝政府は、クーリー貿易の統制を進めるように努力を始めていた。

そこにマリア・ルス号事件（一八七二年）が起こり、ペルーは裁判のため使節を日本に派遣した。そして、この使節は実は清朝との条約締結も大きな任務としてやってきたのである。こうして、清朝はペルーへは自由意志による移民のみを許可するという点も含めて、一八七四年、条約締結にこぎつけた。キューバについても、一八七七年、清朝とスペインのあいだで合意が成立し、華民労働者については自由移民であることを条件とし、現地での権利を保護する協定がつくられた。

一八七四年、清朝は、キューバに陳蘭彬《ちんらんひん》、ペルーに容閎《ようこう》を派遣して、現地の実態調査をおこなった。これは、海外における自国民について清朝がとった積極的な施策として、注目すべきものである。いずれも相当に詳しく聞き取り調査をして、なまなましい証言を今日に伝えている。

翌七五年、この陳蘭彬が初代の駐米公使に任命され、容閎がその副使となった。そして、この駐米公使の職は駐スペイン公使と駐ペルー公使も兼ねていた。いうまでもなく、スペイン領キューバとペルーにおける華民保護という点が念頭に置かれた職掌である。ワシントンに実際に公使館が設置されたのは七八年のことだが、翌年にはキューバ総領事館も開設されている。

華民に対する排斥の傾向が強まるサンフランシスコに総領事として赴任したのが、黄遵憲《こうじゅんけん》である（在任一八八二―八五年）。これ以前に、彼は駐日公使の随員として東京にいて、朝鮮の使節に『朝鮮策略』を渡すなど重要な役割を果たしていた。サンフランシスコでは、華民社会の保護・統制につとめ、とくに現地の同郷団体を束ねる中華会館という組織をつくることに尽力した。出身地ごとに分かれた団体の分裂・抗争をおさえて団結することで、厳しい社会環境のなかで生きぬいていけるようにするとともに、清朝から派遣された領事がこの中華会館を通じて現地華僑社会に影響力を及ぼすことができるようになったのである。

東南アジアへの移民

中国大陸から東南アジアにおける移民は、一八世紀にはすでに多数にのぼっていたものの、一九世紀後半以降、さらに急増していった。その要因は、さまざまに考えられるが、まずは東南アジア各地における経済開発の進展にもとづく労働力需要を挙げるべきだろう。加えて、香港という中継地の登場、汽船の導入による移動の便利さといった新たな条件が、とくに福建省・広東省から東南アジアへの人口移動(そして稼いだあとの帰郷)を促していた。

東南アジア方面への出稼ぎ移民は、クーリー貿易と異なり、欧米人が関与せずに進められた。移民の仲介にあたったのは、「客頭《けとう》」と呼ばれる業者である。たいていの場合、「客頭」も早くから海外に出た華僑であり、自分の郷里から移民を募り、華南諸港からシンガポールに向かう汽船に乗せてやる。新来の移民は、適当な仕事を紹介してもらって働き始めるが、その職場の組織も往々にして同郷のつながりにもとづいていた。

このような移民の仕組みは、海外に出稼ぎにゆこうとする者にとって仕事についての確かな情報を得やすく、拉致・虐待などの危険を避けるという意味でも安心しやすい側面をもっていた。移民は渡航費用などを借りて船に乗ることが多いのだが、その費用を貸す側にとっても同郷社会のなかでは貸し倒れのおそれが少ないため信用できることになる。

一九世紀後半において華僑の働き先としてとくにめだったのは、マレー半島における錫《すず》の採掘である。錫は、ブリキをつくるときに鉄板の表面にほどこすメッキの原料として需要が高まっていた(ブリキはこの時代には缶詰用の缶として多く使われるようになった)。錫の鉱床を経営していたのも華僑であり、これら経営者は、新規移民の渡航費を立て替え払いすることで、労働力を確保していた。一八八〇年代にマレー半島の内陸まで錫開発の波が及んでいくと、労働力の移動は激しくなっていった。ある程度の資本を蓄えた華僑は、もし帰国しないとすれば、東南

マラッカ(マレーシア)にて．華民経営の葬儀用品店．紙で模造された家や扇風機・自動車は焼くことで来世の死者に贈る．冥界の紙幣もある．かつては錫箔でつくられた冥界の品物も，現在では紙製が多い(2003年，著者撮影)．

アジアで適当な場所を見つけて商店経営などにたずさわることも多かった。

東南アジア華僑は、稼いだ金を郷里にあてて送った。このような送金は、もちろん帰国者が現金をたずさえて持ち帰るという場合もあったが、信局《しんきょく》と呼ばれる金融業者の手を経ることも多かった(信局は郵便業者も兼ねていた)。信局は東南アジア各港と中国東南沿海部の各地に支店や代理店をもっていたが、信局が送金する際にイギリス系銀行などを利用することもあった。

このような華僑送金があるために、華南地域には対外的な購買力が生み出された。全国的にみた場合でも、清朝の輸入超過(貿易赤字)は、この華僑送金で大いに相殺されるまでになっていったのである。

第4章　清末の経済と社会

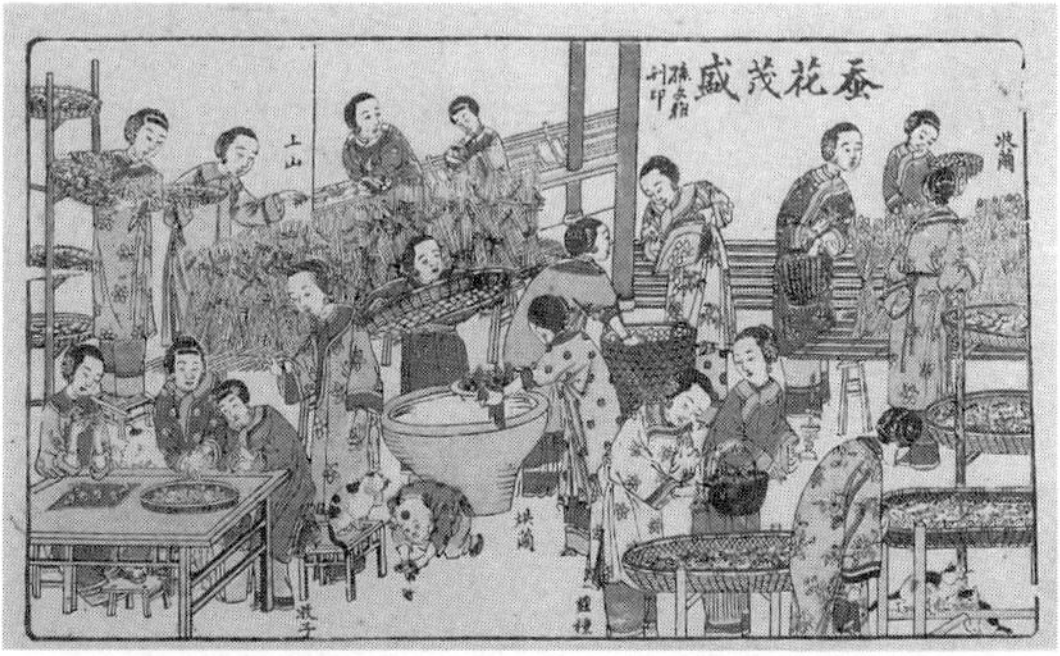

養蚕の過程を示した年画．年画とは吉兆を示す絵のことで，生糸生産の好調を祈る気持ちがこめられている．成虫の蚕蛾から卵をとり，孵化させたのち桑を与えて育て，繭をとって乾燥させる．19世紀後半，江南などでは海外市場の生糸需要に刺激されて養蚕がますます盛んになった(『上海図書館館蔵年画精品』)．

1　経済の活況

人口の変動

太平天国をはじめとする一九世紀中葉の戦乱は、多数の死者をもたらした。一八世紀から急速に増加してきた全国人口は一九世紀にはいってついに四億を超えたが、一九世紀半ばには停滞ないし減少に転じた。戦乱による死者の数も膨大にのぼったはずだが、生活基盤を破壊されたことによる人口減少という要因も考えておく必要がある。厳密にどれほど人口減少があったのかについて、正確な統計は得られない。また、地域差も大きかったはずである。

いずれにしても、一九世紀半ばの人口減少は、一八世紀における人口爆発による土地・資源不足を一定程度は緩和したかもしれない。そして、一九世紀後半には、対外貿易、海外移民といった新状況がもたらした経済的刺激が人々の生計を支える役割を果たした地域では、比較的速やかな人口回復があったと考えられている。

蚕　糸

海外への輸出品として注目を集めた第一のものは、生糸である。清代にとくに養蚕が盛んだったのは江南地域であり、蚕《かいこ》に与える桑の栽培に適した相対的に水はけのよい地区で良質な生糸がつくられた。農民は自分の家で繭《まゆ》から糸をとって売ったが、それが南京・

蘇州・杭州などで織られる高級絹織物の原料となった。太湖の東南岸にあたる浙江《せっこう》省湖州《こしゅう》府の生糸が最高級とされていて、一八世紀には広州から輸出されていた。

このように生糸は以前からの特産品であるが、一九世紀後半には特別な需要があった。一九世紀半ば、欧洲の絹織物業の中心に位置していたのがフランスだったが、一八六〇年代にはヨーロッパで蚕に病気が流行し、中国から輸出される生糸はフランスで大いに歓迎され高値がついた。こうして、江南の高級糸だけでなく、少し質の劣る糸でも販路を見いだすことができ、また広東産の生糸も輸出された。フランス絹織物業は、職人による手織りの部分が多く、多様な品質の糸を巧みに利用することができたのである。

とはいえ、一八七〇年代に入ると、日本の生糸輸出も多くなり、またフランスでも機械化を進めるため均質の糸を求める傾向が出てきたので、中国生糸の輸出は低迷した。

この状況のなか、器械製糸をはじめようとする動きが生まれた。器械製糸とは、繭を煮てほぐした糸を動力によって巻き取ることにより、品質の一定した生糸を作ろうとする産業である。一八七八年、外国商社の出資で上海に創立された旗昌糸廠《きしょうししょう》が、経営を安定させた器械製糸の始まりである。この工場は、フランス人技師ブリュナを雇っていたが、ブリュナはその前に日本の群馬県で富岡製糸場の設置を担った人物だった。

これら上海における初期の製糸工場の製品は、同時代の日本の生糸よりも高品質と評価されて高く売ることができた。上海の製糸工場が苦労した点は、原料となる繭を買い集めることだった。それまで、養蚕農民は自分で繭を煮て糸をとっていたので、繭の商売が発達していなかったからである。しかし、無錫《むしゃく》近辺など、もともとあまり盛んでなかった地域で養蚕が広まり、繭をあつかう商人も次第に登場するようになった。

従来の養蚕地である湖州でも、国際的な動向をみて、新しい対応があらわれた。生糸を農民から買い集めた業者が、あらためて近隣の農民に発注して再繰《さいそう》(もういちど巻き直す工程)をおこなわせ、品質を向上させたのち輸出に回すというものである。この時期の湖州のなかでも、養蚕および生糸の集散で著名だった南潯《なんじん》鎮について述べた史料には、「土地はいたるところ桑畑となり、どの家も養蚕にいそしんだ」「一か月働くと、もし豊収ならば一年分の生活費をかせげた」とある(民国刊『南潯志』巻三〇に引用される温鼎『見聞偶録』二二葉)。

もちろん、生糸価格の変動は、このような養蚕農民をふりまわしたが、他方で人々は新しい経済的機会に積極的に対応していったということもいえる。

茶と樟脳

茶は、アヘン戦争前から主要な輸出品となっていた。開港後は福州・廈門《アモイ》や上海から輸出されるようになった。おもな産地が、それらの港に近い福建・浙江・安徽《あんき》などだったからである。

他方、湖南の茶は、もともと生産量は多かったものの、品質が相対的に低く評価されていて、磚茶《たんちゃ》(四角く固めた茶)の形で陝西・甘粛やモンゴル、ロシア方面に売られていた。しかし、一九世紀後半になると、湖南茶はイギリスなどへも輸出されるようになって、茶の栽培が拡大した。一八六一年に開港された漢口《かんこう》からの主要な輸出品は湖南茶だった。こうして、湖南の山ぞいの傾斜地は、茶の栽培に適するため、急に高い経済的価値をもつようになった。

ただし、イギリスは自己の支配領域での茶の生産をめざした。一八八〇年代以降、セイロンやアッサムでとれた茶が、イギリス市場で歓迎されるようになると、中国茶の販路は限られたものになっていった。

台湾北部は、地形と気候のうえでは茶樹に適していたものの、もともとあまり栽培されていなかった。一八六〇年代以降、開港された淡水《たんすい》港から厦門経由でアメリカに茶を輸出するようになり、一気に北部山地の開発が進んだ。また、台湾の特産品として世界的な注目を集めたのが、樟脳《しょうのう》である。樟脳はクスノキからとれる化学物質であり、セルロイドや防虫剤などの原料となった。これも台湾の山地で集められて輸出された。

これら茶と樟脳は、米と砂糖を中心としていた台湾経済のなかに新しい要素として登場して多くの収益をもたらし、人口と経済活動の重点を台湾北部に移動させることになったといえる。

ミッチェル報告書

アヘン戦争の後、イギリスでは、中国市場に対する期待が高まっていた。イギリスの工業製品に対する巨大な需要があると思われたからである。

これを正面から批判したのが、ミッチェル報告書である。作成者ミッチェルの経歴については、わからないことが多いが、廈門のイギリス領事館に勤めたり、香港で司法関係の職についたりしたらしい。この報告書は、香港総督ボナムの指示によって書かれたもので、一八五二年の日付がある。しかし、これがイギリス議会に提出する参考資料として収められることで活字となったのは一八五九年のことであり、同年のうちにカール・マルクスが引用したこともよく知られている。

ミッチェル報告書は、イギリス工業製品の中国に対する輸出の不振を指摘し、その理由を説明していく。まず、労働をする人々は厚手で丈夫な衣服を着ているので、イギリス製の薄手の綿布は中国では需要がないという。

また、農村手工業の根強さについては、福建省を例に挙げて説明している。福建では普通の農民もサトウキビを栽培し、砂糖を商人に売る。商人は農民に代価として現金を渡すだけでなく、いずれ綿花をもってくると約束をする。商人は砂糖を船で天津など北方の港に運んで、綿花を手に入れ福建に戻ってくる。福建の農民は冬の農閑期になると、老いも若きもその綿花を紡いで糸にし、さらに織って丈夫な布にする。農民は、自家で余った布を近隣の町で売ることもある。

こうして、余剰労働力を巧みに利用して自分の必要にあった布をつくる農村手工業は、ほとんど費用のかからないものであるから、中国農民にとってわざわざ英国ランカシャー製の布を購入する動機がないということになる。

このミッチェル報告書の要点は、マンチェスターの実業家らの過大な期待を退けることにあり、作成されてから何年も経た後、わざわざ第二次アヘン戦争に関する議会文書に収録された意図も同様であろう。そのような説得工作という背景をおいながら、中国経済の自己完結的な性格を強調した文書といえる。

とはいえ、イギリスの工業製品が必ずしも多くの中国農民から求められるものではないという指摘や、中国の農家にとっては手工業こそが余剰労働力の利用法であるという論点は、相当な妥当性をもっていたともいえるだろう。

しかし、農民は、単に保守的なだけではなかった。一九世紀後半、インドのボンベイで紡績業が発展し、太めの綿糸を低価格で生産するようになった。中国のなかでも綿花を栽培できない地域の農民は、このインド綿糸を導入して手織り綿布を生産するようになっていった。これは、ミッチェル報告書が想定するのとは、少し異なる状況が現れたことを意味する。

銀行と商社

一八四八年、カリフォルニアで金鉱が発見され、ゴールド・ラッシュが起こった。ついで、一八五一年、オーストラリアでも金鉱が見つかった。このことは、世界の金融に対して大きな影響を及ぼすことになる。新たに産出された金はイギリスを含むヨーロッパに流れ込み、結果として貨幣の流通量を増やし、景気を刺激した。そして、金に代替されて余った銀はアジア貿易に使われるようになったのである。

こうした金融の活況を背景として、おもにアジアを活動の場とするイギリス系の銀行が、次々に設立されていった。オリエンタル銀行、チャータード銀行、香港上海銀行などである。これらの銀行は、インドではプランテーションなど農業部門に投資をおこなったが、中国においては、まず貿易金融を担い、一八六〇年代以降になると、運輸関係の事業への投資や清朝政府への借款《しゃっかん》を進めるようになった。

貿易を担った商社は、中国では「洋行《ようこう》」と呼ばれ、上海を拠点とするものが多かった。イギリス系のデント商会やジャーディン＝マセソン商会は、もともと広州のアヘン貿易から出発したが、次第に営業を広げていった。イギリス製の綿糸・綿布の中国への輸入、茶・生糸の輸出などである。そして、貿易以外にも、経営の多角化をはかろうとした。

これらの銀行と商社の経営者や職員は、租界の社会生活においても重要な役割を果たしていた。また、中国人の職員は、しばしば買辦《ばいべん》と呼ばれ、開港場の社会を特徴づける社会層を形成した。

買辦　著名な買辦として、唐廷枢《とうていすう》が挙げられる。彼は、広東省香山《こうざん》県の出身である。香山県は澳門《マカオ》に隣接して海外とのつながりを早くから深めており、孫文《そんぶん》もここに生まれた

（のちに孫文の号、中山にちなんで中山県と改称された）。唐廷枢だけでなく、徐潤《じょじゅん》、鄭観応《ていかんおう》といった代表的な買辦も香山県を郷里としている。

唐廷枢は、香港でイギリス人の学校に通って、英語を身につけた。香港政庁に勤めたあと、清朝の海関職員になって上海に移った。その後、それも辞めて商売の道に進んだ。たとえば、一八六三年、アメリカ南北戦争の影響などで綿花価格が高騰した際には、綿花の仲買にたずさわった。このころ、唐廷枢は有力なイギリス系商社ジャーディン＝マセソン商会の買辦となった。彼は出納経理のほか、重要な輸出品である茶や生糸を買い付けるなど、ジャーディン＝マセソン商会の活動を支える大きな役割を果たした。イギリス人の経営者からすれば、中国語や現地の商慣習に通じた買辦を使ってはじめて順調に貿易業を進めることができたのである。

しかし、買辦は、たんなる商社職員にとどまらず、自分の資本をもっていて、投資・経営活動を進めていたことに大きな特徴がある。唐廷枢は、いくつかの英米系汽船会社に投資し、経営にも参画することがあった。彼の影響力は大きく、その呼びかけで中国人から投資を集めることができたのである。

唐廷枢は、一八七三年にジャーディン＝マセソン商会から離れ、李鴻章のもとで働くようになった。李鴻章が運営しようとした輪船招商局の経営改革に力を発揮し、また汽船の燃料となる石炭を確保するために天津近くの開平《かいへい》炭鉱の開業に努めた。唐廷枢の同郷人で友人でもある徐潤はデント商会の買辦だったが、やはり輪船招商局に招かれた。

李鴻章は、近海の汽船経営が英米の会社によって支配されたことに対抗して、中国系の汽船会社をつくろうとしていた。李鴻章からすれば、唐廷枢らの経営能力、とくに資金集めの可能性に期待したということであろう。加えて、唐廷枢がハワイ国王カラカウアの接待を担当したように、李鴻章の外交の仕事をも支える役目を果たしていたことが注目される。唐廷枢は、一八九二年に死去するまで、李鴻章のもとで新式事業を進めていった。

多くの買辦にとっては、商売の成否に浮沈がかかっていた。そして買辦たちの商売の仕方には、しばしば投機的な傾向がつきまとっていた。国際貿易は多大な利潤を得る機会を買辦に与えたが、他方では、国際市場の動向に振り回されることにもなった。

買辦が破産した場合、その負債をどのように処理するのかは、外国系の商社を含めた訴訟沙汰にもなりうる厄介な問題となった。買辦が商社に雇われながら、ときに自己資本による経営を進めていたことは、好況の場合には外国系商社と買辦の双方に有利なことも多かったが、いざ欠損が生じると、それを誰が負担するかという紛争は避けがたいものとなった。破産に苦しむ買辦の姿には、財産保護についての法的な枠組みが未成熟だったことも示されているのである。

2　清末社会の動態

会館・公所

清代の都市には会館や公所《こうしょ》と呼ばれる建物が立ち並んでいた。これらには、同郷・同業の団体の事務所が置かれていた。実のところ、同郷と同業のつながりが重なっていることは珍しくなかった。なぜなら、ある商売で成功した者が新たに人手を必要としたとき、やはり自分の同郷者を呼び寄せて雇うことが多かったからである。これは人を雇う場合に一応の身元保証の代わりになった。そして、厳しい競争のなかを勝ち残るには同郷の団結そのものが有利な戦略だったからと考えることもできる。同郷のつながりは単に古い絆の残存というよりは、一九世紀の都市発展のなかで、ますます必要性を高めていたのである。

会館・公所には、その職業を守護する神がまつられていて、神の祭りなど特別な日には演劇を奉納したりした。同業の団体は、その商工業のなかでの内部規制を設けたりしていたが、とくに一九世紀後半には流通課税である釐金《りきん》の納入を請け負うなどの役割を果たすようにもなった。

上海では、一八四〇年代からイギリスなどの諸外国との貿易が始まり、多くの人々が集まってくるようになった。最初に有利な地位を占めたのが広東人だった。広東人は、もともと対外

四明公所．上海のフランス租界にあった寧波人の同郷会館(唐振常主編『近代上海繁華録』)．

貿易の経験があり、また船舶の修理など港湾に不可欠な仕事を身につけていたのである。これら広東人のグループを広東幇《パン》という(幇は「助け合うなかま」の意)。一九世紀後半に入り、広東幇と競いながら、上海での勢力を強めたのは寧波幇《ニンポーパン》である。寧波は、上海から杭州湾を隔てたところにあり、船なら非常に便がよい。

寧波幇が上海で運営していた四明《しめい》公所は、有力な同郷組織として知られ、同郷者に対する救済事業を盛んにおこなっていた。寧波から上海に出てきて死去した人の葬式の支援も重視され、貧窮者にかわって棺桶代金を負担したり、遺体を埋葬するための墓地を確保したりしていた(この時代は、遺体を火葬にせずそのまま土葬することが普通だった)。四明公所は遺体を郷里に移送する活動に熱心であり、遺体の一時保管、船による輸送、郷里での遺体引き渡しなどを担当していた。このような棺桶輸送の背景には、故郷の墓地に適切に埋葬されてこそ子孫が福を得られるという風水思想があった。他方で、こういった事業そのものが同郷の絆を強化するのに有効だったことが注目される。

墓地を持っていたことから四明公所はもともと上海県城の郊外にあったが、一八四九年にはフランス租界に編入された。一八七四年、フランス租界当局は、四明公所の墓地を横切る道路建設を計画したが、それに反発した寧波幇の人々は強硬に抵抗し、武力衝突をひきおこした。フランス租界当局としては、遺体は伝染病などの発生源になりかねないという衛生面の不安を感じており、その圧力によって、四明公所はますます遺体を故郷に帰す事業を進めていくことになった。

寧波幇の場合、上海で暮らす人数も多く、しかも有力業種を含んでいたため、このように大規模な活動が可能となっていたにすぎない。別の地域から上海に流れ込んできた人々は、あまりよい職業につくことができず、結果として富裕な同郷人も少ないため、いつまでも社会の低層にとどまらざるを得なかった場合もあるだろう。そう考えると、同郷者の相互扶助は都市社会で生きるうえで有効な手段だったと理解できるのである。

ジャーナリズムの形成

一八七二年に上海で刊行された中国語の新聞『申報《しんぽう》』は、大きな歴史的役割を果たした。

もちろん、これに先だつ動きはあった。ロンドン伝道会のロバート・モリソンはマラッカを布教の拠点として印刷所を設けた。ここでモリソンを助けていた宣教師ミルンが、一八一五年から二一年まで編集していたのが、『察世《さつせ》俗《ぞく》毎月《まいげつ》統記《とうき》伝《でん》』(ほぼ毎月刊行)である。その内容は、宣教を中心としながら科学の紹介なども含んでいた。これは、形状の面からみても木版刷りのパンフレットのようなものであり、内容もニュースを伝えることを主眼としていなかった。しかし、その後も宣教師たちが定期刊行物を中国語で出す試みがあり、次第に西洋の新聞の概念に拠りながら紙面をつくり、活字を用いて印刷するようになっていった。また、香港で英字紙が発行されるなか、その中国語版も登場した。

こうして、本格的な日刊新聞が上海に生まれる。イギリス人メイジャーは、中国人を雇って紙面づくりを担当させ、『申報《しんぽう》』を発行した(一八七二年四月三〇日創刊)。その発行数は、はじめ六〇〇部にすぎなかったものの、数年のうちに五〇〇〇部を超えた。内容は、朝廷の動向や中国・国外各地の事件、地元のニュース、経済情報、政治論説など、多様でバランスがとれていたため、上海に住む中国人読者から歓迎され、経営的にも成功した。

『申報』の創刊言は、次のように述べている。

およそ国家の政治、風俗の変遷、中国と外国との交渉における重要事項、商売貿易の長所と短所、そして何でも驚くべきことや喜ぶべきことのうち、人の耳目を一新するものを、すべて載せることにしたい。真実を伝えるように努め、読者にわかりやすいようにする。事実から離れたことを書かず、でたらめなことは述べない。そうすれば時局の動きに注目している人はその概要を得ることができ、商売する人はうっかり騙されることはない。このように、新聞があらわれると天下に大いに有益なのだ。

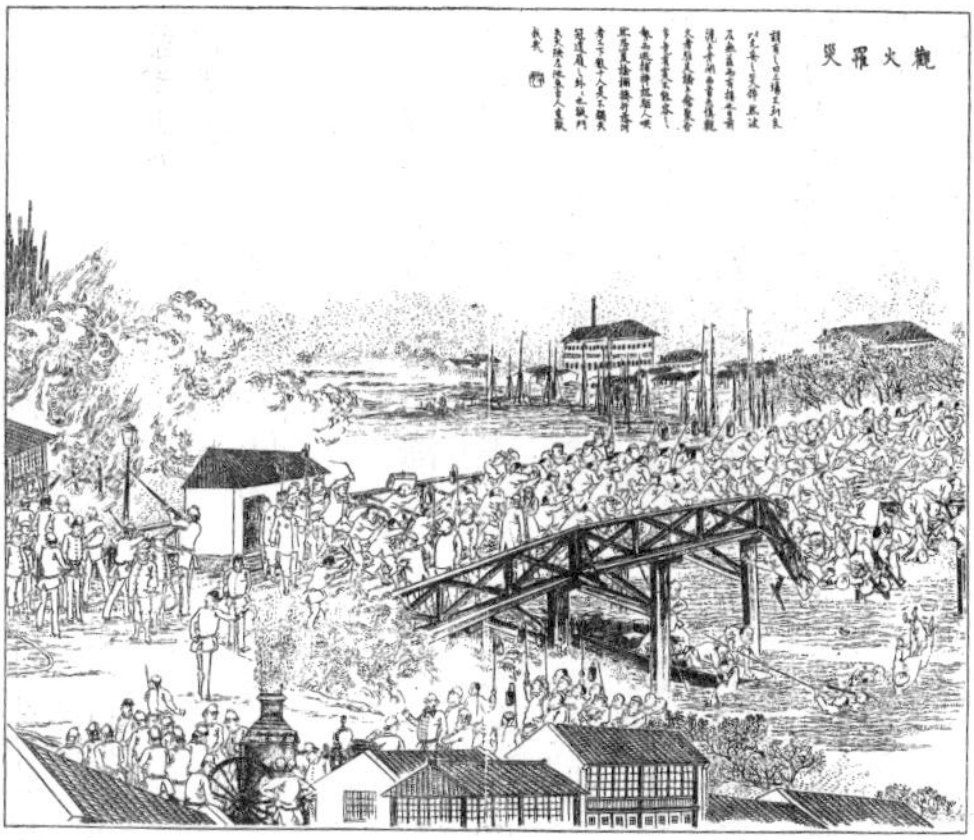

『点石斎画報』より．上海で起こった火事の見物人が多くて，橋が折れた様子を示し，少し教訓めいた解説をつけている．

ここには、真実をわかりやすく伝えることの実用的な意義が明瞭に宣言されている。つづいて第一号に掲げられている方針では、まず新聞の料金を示し、さらに紙面づくりについては、文学作品や政治・経済の論説などが本紙に寄稿された場合には無料で載せるが、広告は文字数と掲載する日数に応じて料金を設定するという。こうして、新聞の販売と広告料にもとづく経営のありかたが導入されていったのである。『申報』は、商業的な基盤をもつ中国語ジャーナリズムが上海に定着していく先駆けとなった。

またこの『申報』を出していた会社は、絵

の入った『点石斎画報《てんせきさいがほう》』(一八八四年創刊)を刊行したことでも知られている。

都市のなかの女性

都市に出てきたのは男性だけではない。むしろ、一九世紀後半の上海では女性の姿が街で見られるようになったことが特筆される。それは、一部の人々からは、風俗を害する傾向として批判的に論じられたものの、おしとどめることのできない勢いだった。

多数の金持ちが上海に居を構えるようになると、家政婦も必要になった。お屋敷で料理・洗濯を担当したり、女主人の身のまわりの世話をしたりする仕事である。上海に近い農村からは、このような仕事を求める女性が続々とやってきた。家政婦の待遇は必ずしもよくはなかったものの、農村とは異なる自由を満喫しようと着飾って街に出かける者もいた。

上海には製糸場や茶の加工場など、女工を雇う場が増えていった。これは男性よりも女性のほうが労賃が安く、また工場にとって監督しやすいという背景によるのだろう。女工が風紀を乱すという議論では、まず仕事場で男女が一緒に働く点が問題だと指摘されていた。さらに、女工たちが手をつないで談笑しながら街を歩くのは、男性を誘惑する行為だとして、批判する意見もあった。これらの非難や慨嘆があったこと自体、多くの女工が上海に働きに来て街を闊《かっ》歩《ぽ》する様子が目新しく感じられたことを示している。

上海で働く女性には、ほかにも売春婦、歌手、女優、アヘン窟の接待人など多様な人々がいた。彼女らは、真面目な言論のなかでは風俗を害する者たちと論評されながら、欲望うずまく上海の歓楽産業を支えていたのである。

女性が遊びに外出することを良くないものとする考え方がある一方で、娯楽を求めて女性が茶館、劇場、アヘン窟などに通うことも次第に増えていった。これらの場所では、もちろん男女が同席することになる。ときには理想化された西洋の男女交際のありかたも念頭に置かれていた。良家の女子が都市に姿を現す時代がやってきたのである。

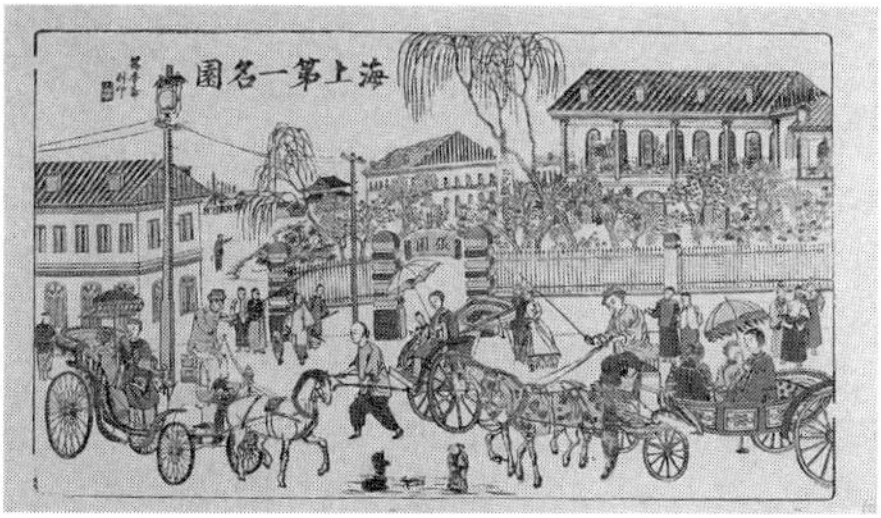

上海の風俗．めでたい図像を示す年画の一枚．張園という庭園の前を馬車や人力車に乗った女性が通っていく（『上海図書館館蔵年画精品』）．

弱者救済活動の展開

太平天国によって大きな被害を受けた地区では、弱者を助け社会を復興することが緊急の課題となっていた。そのために利用されたのが、明代末期からの伝統をもつ善会《ぜんかい》・善堂《ぜんどう》などの社会福祉事業の方式である。善会とは、基本的には善行をめざす有志の者（善士《ぜんし》）が自発的に結社をつくって資金を募り事業を展開するもので、善堂は同様の意図でつくられた施設のことをいう。この背景には、善挙（善い行動）によって功徳を積むと良い応報があるという観念があった。

一九世紀中葉に、そのような善挙を主導して著名になったのが余治《よち》である。余治は善会・善堂の運営規則の雛形を集めた本として『得一録《とくいつろく》』を編集し、一八六九年に刊行することで、同様の事業が各地に広まることを期待していた。

ここでは、嬰児《えいじ》の救済についてみてみよう。育てるのが難しい子供を捨てたり、嬰児を殺害したりする行為は世界各地でみられたが、清代の社会でも珍しくなかった。とくに跡継ぎとして男子を重んじる観念から、女児がその犠牲となることが多かった。これに対して、嬰児の命を惜しみ、なんとか助けようとする試みが起こるのも自然だろう。

そこで各地に設置されたのが育嬰堂《いくえいどう》という施設である。育嬰堂は清朝の推奨もあってかなり普及し、子供を引き取って授乳・養育していた。しかし、民間有志の力で、資金を確保し事業を続けるのは容易なことではなく、育嬰堂を永続的に運営していけずに荒廃させてしまう例も少なくなかった。

余治はこれに対して保嬰会《ほえいかい》という救済事業を発案した。保嬰会とは、子供をかかえて貧窮に苦しむ親に対して定期的に金銭的補助をおこなおうとするもので、やはり財源は有志の募金によった。この方式によれば、施設の建築・維持の費用は不要になるうえ、親が自分の子供を養育するという形が保たれるため、家族の維持という点でも望ましい。余治が保嬰会について考えたのは太平天国の前だったが、その戦乱ののちにとくに必要となった嬰児救済にとって、保嬰会の方式は有効だと認められて普及していった。

また、上海の租界でも戦乱を逃れて多数の人々が流入するのに対応して、善堂が林立していった。これは医療を施すだけでなく、行き倒れになりそうな人々を収養する施設も含まれていた。

これらの事業には、その起源から引き継いだ因果《いんが》応報《おうほう》ふうの発想がはっきりと含まれていた。善行こそが自分や子孫に福をもたらすというわけである。他方で、戦乱で減少した人口を増やしたり治安を維持したりするためという意味で社会秩序を立て直す意図も示されていた。

これとは別に、キリスト教会による孤児救済や医療伝道といった活動も盛んになった。このような外国人の活動は、天津教案の事例にみられるように猜疑の対象となることもあったが、在来ふうの善挙と競うようにして救済を進めていった。

旱魃への対応

一八七六年から華北の一部では旱魃《かんばつ》が始まって翌年には本格化した。さらにその後二年も被害は続いた。華北の広大な地域は、おもに雨水に頼って農業をおこなっており、この旱魃は悲惨な不作をまねいた。人々は、食べ物を求め郷里を離れて移動したが、ゆけどもゆけども被災地区ばかりで、ついに餓死に至ってしまうのだった。親は、飢えるよりはよいとして子供を売りとばした。

これに対して、立ち上がったのが、上海を拠点として活動していた善士たちだった。彼らは、自分で組織をつくって募金を集め、代表を被災地区に送って視察させた。上海の『申報』もその宣伝媒体として大きな役割を果たした。ある募金の呼びかけは、次のように訴えている。

直隷《ちょくれい》・河南・陝西《せんせい》・山西《さんせい》の四省の大災害は、まったく未曾有《みぞう》のものです。二年から三年もつづく旱魃で土地には何も生えず、死者は重なり合い、人はたがいに食い合っていて、これを目にした者が心を痛めるのはもちろん、耳にした者も必ず涙を流すのです。運気のめぐり合わせでこうなったとはいえ、実のところ人の情けがぺらぺらに薄くなった結果なのです。しかし、旱魃になったところはすでに深刻な被害を受けているにしても、それ以外のまだ旱魃にあっていない各省の人は恐れおののきつつ黙って青い空に祈り、直隷・河南・陝西・山西のような旱魃にならないように願っています。それでは、いったい何を頼りに安心できるのでしょうか。……一言でずばりいえば、他人

旱魃の悲惨さを示して寄付を募る絵(「直豫秦晋四省災民図」東京大学総合図書館蔵). 12枚の絵の中の2枚. 右は食べ物がなくて泣く泣く子供を売る親. 左は石臼で石を砕いて食べられるようにする様子(ただし, それを食べるとたぶん死期を早めるだろう).

の旱魃被害を助ければ、きっと自分の旱魃被害も免れることができるのです(『申報』一八七八年五月二七日)。

情けは人のためならず、という趣旨は、つまりは、やはり善行こそがわが身を救うという応報観念にもとづいている。これを書いた経元善《けいげんぜん》は、まさに代表的な善士として華北救済活動に奔走した。

他方で、救済活動は宣教師を通じて国際化していった。ロンドンには救済基金の委員会が設立され、宣伝によって同情を集め、寄付を募ろうと努力した。日本からも募金が華北救済のために送られた。

これらは、一種のＮＰＯ(営利をもとめない組織)の活動ということができる。既存の官僚機構の枠を超えて、全国的視野をもって行動する貴重な機会ともなったといえる。そして、これら救済活動に参加した者のなかから、たとえば鄭観応《ていかんおう》や盛宣懐《せいせんかい》のように、その後は汽船・電信などの新式事業で活躍する人材が現れた。他方、救済に必要な食糧運搬については、やはり官のおさえる物流の仕組みが果たす役割も大きかったというべきであろう。

植民地香港の形成

香港島は、一八四二年の南京条約でイギリスの植民地となった。これは、イギリスからみれば、中国大陸の近くに確固とした拠点を得るという悲願を達成したことになる。

それ以前の香港島には一定規模の農地が広がり、漁民の拠点もあった。大きめの村には商店もみられた。しかし、イギリス領となって、港湾施設と官庁街がつくられた香港島の北側では急速な都市化が進むことになった。さらに、一八六〇年の北京条約によって、香港島のすぐ対岸にある九竜半島の先端部もイギリスに割譲された。こうして、香港島と九竜半島のあいだの狭い水域が、理想的な港湾機能を果たすことになったのである。

香港は、イギリス自由主義の考えにもとづいて運営されていた。そこで、香港は関税のない自由貿易港として発展していくことになった。イギリスによる香港支配は、なるべく民間の経済活動に介入しないことをめざしていたが、他方で経済的な権利を保障する法的な枠組みはイギリス本国に準じて導入された。

植民地香港の財政は、当初は簡単なものだった。都市域の住民から徴収する諸税、そしてアヘン買売など各種事業に対する認可料が財政収入の多くを占めていた。それはおもに政府職員への給料にあてられたほか、警察や監獄などの経費、公共工事(道路など)に支出されていた。

香港には中国大陸から不断に人口が流入した。商売の成功を願って来る者もいれば、港湾での労働につく者もいた。香港政庁は、法秩序の維持を除けば、これら中国系の住民に対してあまり関心をもたなかった。むろん、これら住民たちは出身地や同業ごとに団体をつくったり、民間信仰による絆を保ったりしていた。

医療についていえば、イギリス人は西洋医学による病院をつくっていたが、中国系の住民はこれになじみがなかった。そこで、一八六九年から、中国医学にもとづく施療を無料でおこなう事業が始められた。これを発展させて、一八七二年、中国人の富裕商人による寄付金と香港政庁の援助によって、東華医院《とうかいいん》が設立された。東華医院は、確かに清朝治下の各地にみられた慈善事業の流れをくんでいるし、政府の行政が及びにくい部分を補うという性格もそれらと共通している。しかし、香港という植民地において最有力の中国人団体となったため、特別な位置を占めた。東華医院の運営にあたった有力商人は、中国系住民の代弁者となっていったからである。

東華医院の救済活動は、人身売買への対策も含まれた。このころ女性を騙したり誘拐したりして、東南アジア方面などに売り飛ばして娼妓《しょうぎ》にする事件が多発していた。これらの犯人と被害者は、シンガポール行きの汽船に乗り換えるために、往々にして香港を通過するので、そのときに取り押さえられることも多かった。問題の深刻さから、人身売買対策をもっぱら担う機構が、東華医院から分かれて成立した。この保良局《ほりょうきょく》は独自に捜査員を雇っていて、香港政庁と連携して犯人検挙に努めており、救済された被害者を収容して適切に帰郷させることを担当していた。

3　地域社会の再編

香港島から九竜半島をのぞむ(1900年ごろ)．手前にみえる建物が東華医院である(Elizabeth Sinn, *Power and Charity*)．

一九世紀の香港では、住民の九割以上が、これら中国大陸からの移民だったと考えられる。移民は次々にやってくるし短期間で立ち去ることも多いから、香港政庁としては安易に英国臣民と認めるわけにはいかない。さらに、清朝としては、香港に住む中国系住民を依然として自国の民とみなそうとした。イギリスは香港を植民地として統治してはいるものの、住民をどのように掌握するかという点で、難しく微妙な立場にたたされていたのである。そのような状況のなかでこそ、大陸各地や海外華僑社会まで連絡をつけられる東華医院や保良局が必要とされ、大きな役割を果たしていたといってよいだろう。

馮桂芬の提言

馮桂芬《ふうけいふん》は蘇州の出身である。科挙に合格して進士となり、翰林院《かんりんいん》編修というエリートの地位を得た。しかし、太平天国の戦乱は、彼に試練を与えることになった。馮桂芬は郷里で団練を編成して戦ったが、結局のところ蘇州は太平天国に占領された。やむなく彼は上海に逃れ、李鴻章の幕僚となった。

馮桂芬は、林則徐を尊敬し、政治改革についても意見をもっていた。そのような提言をまとめた書物が、『校邠廬抗議《こうひんろこうぎ》』である。その内容は多岐にわたるが、政治制度をよく機能させるためにどのように改革したらよいかという提言が多くを占めている。地方行政の改革については、地元出身の者が行政に責任をもつのがよいと馮桂芬は指摘した。

清代において、地方官は自分の出身地と同じ省に任官されないという規則があった。しかも、末端の行政機構である県を治める知県は、数年ごとに転勤させられた。このような制度運用の意図は、地方官が地元の有力者と癒着して、その利権構造にからめとられないようにすることにあっただろう。役所には長年勤めている地元役人がいて、知県にとっては彼らをうまく使うことが統治の腕の見せどころだった。しかし、やはり地元の実情に疎く、場合によっては民衆の話す方言すら聞き取れない知県には、有効な行政を進めることは難しかった。しかも任期が短く財源も乏しいため、意欲的な施政を進めるよりも無難に勤めあげることを優先する傾向があるのもやむを得なかった。

馮桂芬が改善を求めたのは、このような地方行政の機能不全に対してだった。そのためには太平天国と戦うにあたって団練の指導にあたった地元の士紳が、知県のもとで正規の地位を得て行政を助けるようにすべきだというのである。その選出は、地元民の投票によるべきだとも提言した。

馮桂芬は、このような議論を展開するにあたって、明末の学者顧炎武《こえんぶ》の議論に依拠しているが、その背景には、中央集権と地方分権とをどのように組み合わせるべきかという論点をめぐる一〇〇〇年以上にわたる論争の歴史があった。そして、馮桂芬は理想的な太古の政体を参照するという「復古」を主張することで改革を提案していたのである。

たしかに『校邠廬抗議』の他の部分では外国の制度について言及していて、投票によって地元の世論を確認するという手法は、もしかすると欧米の選挙制度から示唆を受けたという可能性がある。しかし、かりに外国の制度から影響を受けた点があったとしても、それは表面的なものであり、むしろすでに馮桂芬が知っていた江南地域での実情にこそ発想の基本があるといってよい。

一九世紀にはいるころ、江南地域では、地元の士紳が、たとえば飢饉救済などの実践で一定の役割を果たすようになっていた。救済活動にあたって必要な資金は、地方官が調達できず、地元からの寄付に頼るほかなかったことが、その背景にある。また、太平天国と戦うための団練の編成は、まさにこのような地元の有力者が軍費の調達のほか、防衛・戦闘に深く関与するという結果をもたらした。馮桂芬の意図は、地域社会ですでに進んでいた傾向を、明確な制度にすべきだというところにあったと考えられる。

士紳の農村支配

馮桂芬が念頭に置いていたような地元有力者は、まもなく太平天国の後の社会復興を指導することになった。その過程で、地方的な流通課税である釐金《りきん》が重要な財源となったが、釐金の徴収や運用にあっても、各地の士紳が大きな役割を果たした。「士」とは科挙の勉強をしている人、とくに生員という科挙受験の前提になる資格をとった人を指す。「紳」とは、もっと上位の文人官僚（または引退した官僚）を含んでいる。この時期には、やはり財源不足から、官僚の末端に連なる資格が実質的に売り出されていたが、しかし、正規の官職は増えるわけではないから、官僚資格はあっても任官できない人々が急増していた。これらの人々は、有力官僚の幕僚となったり、地元で地域的な行政に従事したりすることも少なくなかった。

江南から遠く離れた四川でも、同様の変化が起こっていた。地主の一族が科挙の資格を得て地元を指導する階層として有力な存在となっていた。

この背景には、経済発展と財政との関係があった。一八世紀から一九世紀にかけて四川の人口は急速な増大をみた。それまでの清朝の制度では、これに対応して税収をあげることが困難だったのである。なぜなら、農業部門から徴税しようとしても、国家には開墾の進展に応じて土地所有を正確に掌握する行政能力はなかったからである。その結果として、土地税は以前から各県に割り当てられていた課税基準にもとづくほかなく、生産の拡大にもかかわらず、または物価の高騰にかかわらず、税額が据え置かれるという傾向が非常に強かった。これは税の安い「小さい政府」であるともいえるが、他方で行政に必要な財源が不足するという問題が深刻化することも避けられない。

そこで、四川では一九世紀にはいるころから、付加的な徴収を地元の名望家が請け負う「公《こう》局《きょく》」が登場してくる。そして一九世紀を通じて、「公局」は社会救済・教育・治安など多様な業務を担当し、地主階層はこれを通じて地方行政において一定の地位を確保することができたのである。

一九世紀の四川で、このような動きが出てくる思想的な背景は、決して西洋的なものではない。これら「公局」の事業は、それを推進した人々によっては地域の秩序を守るという善行を積むものと意識されていた。この点は、儒教と民間信仰との複雑な関係を示唆している。

儒教と民間信仰

一九世紀の清朝で流行した活動として、文字の書かれた紙を大切に扱うことをめざす惜字《せきじ》がある。結社をつくってお金を募り、商店などから文字の書かれた紙を買い集め、学問を守護してくれる文昌帝君《ぶんしょうていくん》の誕生日に結社員でつどって丁重にそれを焼くのである。

文昌帝君は、端的にいえば科挙受験の神様であるから、その惜字に熱心なのは、これから各省の郷試《きょうし》にのぞもうと受験勉強にはげむ学生が多かった。当然、科挙は儒教の経書からの出題が中心となるから、これらの学生たちは儒教を奉じる立場であるはずだが、しかし、このような惜字は善挙を重ねることで良い結果が得られるという応報思想にもとづいていた。むろん、この応報思想が儒教と矛盾するかどうかは微妙なところだが、儒教経典を学ぶ受験生たちに対しても非常に大きな影響力があったことが注目される。

文昌帝君の教えは、『陰隲文《いんしつぶん》』という書物にまとめられている。このような善を勧める書物は善書《ぜんしょ》と総称される。文昌帝君からその言葉を受けるときに用いられたとされるのが、扶鸞《ふらん》と呼ばれる方法である。器に砂を入れてその上に棒を立て、神意をうかがうと棒が文字を書き記して、神の言葉を伝えるというものである。このような扶鸞の活動も、一九世紀に入ってから以前より広く実践されるようになったと

紙を拾い集める人．文字の書かれた紙を丁重に焼くために集める「惜字」の活動で雇われているのだろう．写真家ジョン・トムソン撮影(J. Thomson, *Illustrations of China and Its People*)．

考えられる。

毎月、一日と一五日に民衆を集めて教化をおこなう活動もあった。はじめは、親孝行などを説いた清朝皇帝の言葉を宣伝していたが、四川のある地域の例では、次第にその内容は善書について説教するようになり、扶鸞も実践されるようになった。

以上のように、儒教を擁護する立場の者も、その言動のなかには善書の観念が含まれていたし、とくに民衆に訴えかけるときには扶鸞はたいへん有用だった。日本統治時代の台湾にあっては、科挙が廃止されたため儒者たちは社会活動の主眼をますます扶鸞に移すようになったほどである。

宗族と礼教

馮桂芬は、地元の有力者に行政の実務をゆだねることを主張していたが、さらに地域の中核となる組織としては宗族《そうぞく》を想定していた。宗族とは姓を同じくする集団であり、具体的には男性の系統をたどると、どこかで先祖を共有している人々ということが条件となる。大規模な宗族は、家譜《かふ》・宗譜《そうふ》などと呼ばれる書物を編纂して、その系譜を明示しようとする。宗法《そうほう》というのが宗族の規律であり、それは儒教に由来すると考えられていた。

宗族は個々の家を超えたまとまりである。それぞれの家は基本的な家計の単位であり、もっとも簡単には夫妻とその子供から成る。古来、大家族が理想とされたものの、男の兄弟どうし、または嫁と姑、嫁どうしが仲良く住むことは難しいからこそ理想なのであって、現実の家は小

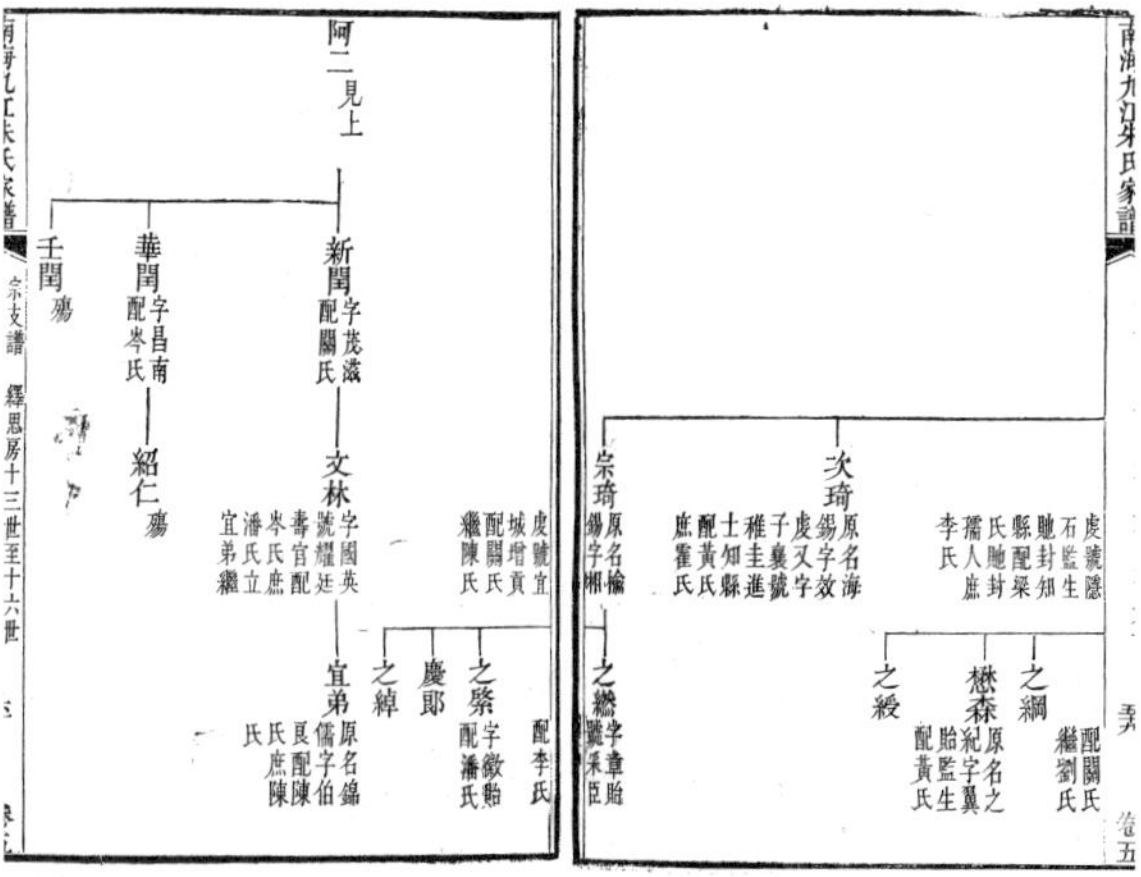

家譜．一族の系譜を明らかにし，その活躍を顕彰するために編纂される．これは広東省南海県九江堡の朱氏の家譜．康有為の師にあたる朱次琦の名も見える(東京大学総合図書館蔵)．

規模だった。同じ姓の者は結婚してはならないことになっていて、夫婦は必ず姓を異にしていた。結婚しても女性が姓を改めることがなかったのは、姓とは男性をたどった系統を示す生まれつきのものだったからである(日本のように、姓が家への所属を表すのではない)。

同姓の者は、だいたいのところ近隣に住んでいることが多く、大きな規模をもつ宗族は地域社会のなかで目立つ地位を占めることになった。場合によっては、共同で土地を所有し、一族から科挙の合格者を出すように奨学金を与えたり、困窮した者を援助したりすることもあった。

馮桂芬によれば、このような宗族は、地方官の統治がゆき届かないところを補い、個々の家庭で対応しきれない困難を克服する役割を担うべきだった。馮桂芬が宗族に期待していたのは、ばらばらな人々を束ねていく機能である。「多数の世帯がみな所属するところがあるようにするのだ」(『校邠廬抗議』下巻、一六葉)。そして、このように生まれながらの絆に依拠してこそ、国家も安定するというのである。

このような馮桂芬の提案は、地元の有力者が主導して、教育・貧民救済・自警・水利事業などを進めていく一九世紀後半の動向に沿ったものだったといえる。馮桂芬が宗族について大いに期待するのは、その社会統合の機能だった。だから、彼がたとえば「邪教」対策に宗族が役に立つというとき、一族で相互扶助することで、貧しくて無頼になり「邪教」に関わるような者が出るのを予防できるという意味である。

しかし、馮桂芬が予想したのと少し異なる変化も起こった。宗族は祖先に対する尊重にもとづくことから儒教的な理想と結びつけて考えていた人々も多かった。他方で、太平天国は儒教を激しく攻撃し、儒教の家族像に反する施策をとったりした。曾国藩が太平天国に対する兵を挙げるときの檄文にも、そのことが示唆されている(本書七一頁参照)。そこで、太平天国が鎮定されたあと、地域社会復興の理念となったのが儒教である。太平天国のいうような誤った教えを撲滅するためには、正しい教えを立て直す必要があるという見方が広まった。これは、宗族に依拠して地元で勢力を伸ばしつつあった名望家たちにとっては受け入れやすい立場だった。

この場合に強調される儒教の一側面は、一族の冠婚葬祭の儀礼を正しくとりおこなうことを重視するので「礼教《れいきょう》」といってもよい。

このような感覚を背景にもつ地方の世論は、キリスト教をはじめとして、外国の文化に対する強い拒絶の姿勢を示しがちだった。たとえば、女性が都市の公共的空間に登場することを批判する論調も、儒教が理想とする家族像に由来していたといってよいだろう。この礼教の理想は、確かに太平天国後の混乱のなかから秩序を再建するのに有用だった。しかし他方では、天津教案の処理について曾国藩を非難し、改革が必要だとする李鴻章の試みを制約するような保守的な意見にもつながったのである。

第5章　清朝支配の曲がり角

筆を手にする光緒帝．青年皇帝のりりしい雰囲気が印象的にみえる(『清史図典』11)．

1　激化する国際対立

西太后の時代

西太后は息子である同治帝を後見する形で政治に大きな影響力をもっていたが、同治帝は、成長にともない一八七三年に親政を開始した。副島種臣が同治帝に謁見《えっけん》したのも、その年のことである。しかし、同治帝は一八七五年一月に若くして病死した。

次に誰が帝位につくかということが宮廷を揺るがす対立の焦点となった。結局、西太后の意向にもとづき、同治帝のいとこにあたる光緒帝《こうしょてい》(在位一八七五—一九〇八年)が即位した。光緒帝の生母は西太后の妹だった。光緒帝は幼少であったため、再び東太后と西太后とが後見役となった。これらの動向について、一部の官僚層は激しく反発したが、西太后の権力はゆらがなかった。東太后は一八八一年に死去したが、西太后はやはり後見役として実権を握りつづけた。

西太后による政治は、微妙なバランスの上に成り立っていたといえる。第二次アヘン戦争と太平天国という大きな危機を乗り越えて得られた清朝の政治的安定は、ふたつの要素に基礎を置いていた。ひとつは、近代世界に清朝を対応させようとする李鴻章や恭親王奕訢《きょうしんのうえききん》らの動きであり、国際関係の安定のもとで富強をめざし、貿易を盛んにして税収をあげていくことで財政も支えていた。もうひとつは、儒教の正統教義にもとづく教化を進め、地域社会を安定させていこうとする動きであり、このような観点にたつ理想主義は安易な欧米化を警戒することになる。実際のところ、外国からの技術導入や条約交渉の実務を担当する官僚に対して、北京で監察を任務とするエリート官僚たちがきびしい批判をすることは珍しくなかった。西太后はそれを利用して李鴻章や奕訢らを牽制していたのである。

総督・巡撫といった地方大官は、実質的に省レベルの財政をおさえ、人材を独自に集めて、各地で新事業を起こしていった。しかし、その総督・巡撫の任免権は最終的には朝廷が握っていたし、地方で大きな失政があればすぐ北京の原則主義的な監察官僚がそれを告発する。こうして、中央と地方とのバランスも保たれていた。

西太后．1903 年撮影．若いころの写真が残されていないのは，おそらく写真を嫌って撮らなかったためだろう（『故宮珍蔵人物照片薈萃』）．

この時代の清朝の政治には、巧みな舵《かじ》取《と》りが不可欠だった。西太后の変幻自在な権謀《けんぼう》が、その要請にうまく合致していたという見方もできる。

ビルマのコンバウン朝は、一八世紀半ばに成立し、内陸部の農業地帯である上ビルマを基盤としながら、沿海部の下ビルマにも支配を広げていった。隣国シャムとしばしば抗争しただけでなく、清朝から乾隆帝が送った派遣軍の侵攻もおさえた。清朝に対しては、雲南省を通って定期的に朝貢することとなったが、ビルマの国内では清朝と対等の地位にあることが主張されていた。ビルマと雲南省のあいだの盆地には、タイ系の言葉を話すシャンの人々などが自立的な小国をつくっていたが、これらの国々は、ビルマと雲南省の両方に使節を送って関係を維持していた。

マーガリ事件

一九世紀に入っても、ボードーパヤー王はビルマの勢力を伸ばしていったが、その動きはベンガルを根拠地とするイギリスとの衝突を招くことになった。一八二〇年代の第一次イギリス・ビルマ戦争で、ビルマはベンガルやアッサムの覇権をイギリスと争った。イギリス艦隊は新開発の蒸気船を利用してエーヤーワディー川をさかのぼり、王都アヴァに圧力をかけた。このとき結ばれたヤンダボ条約(一八二六年)によって、コンバウン朝は海岸ぞいの地区を奪われた。一八五〇年代の第二次イギリス・ビルマ戦争では、下ビルマを割譲させられた。こうして、イギリスはエーヤーワディー川下流地域を開発して広大な米作地とし、ラングーン(現在のヤンゴン)を行政の拠点として整備していった。これに対して、内陸国家となったビルマはミンドン王のもとで近代化政策を進めていった。

イギリスは、ビルマと雲南を経由して清朝との貿易を進めようとし、通商路を求めて探検隊を派遣した。だいたいエーヤーワディー川上流のバモーから騰越《とうえつ》に至る道が想定されていた。騰越からは峻険な高黎貢山《こうれいこう》という山脈を越え怒江《どこう》(サルウィン川)を渡れば、林則徐が回民対策に苦心した保山《ほざん》に至る。そこから東にむかい瀾滄江《らんそうこう》(メコン川上流)を越えれば、大理さらには昆明へと道がつながっているのである(八一頁の地図を参照)。

探検隊の通訳と道案内のため、北京のイギリス公使館に勤めるマーガリが呼び寄せられ、雲南経由でバモーに至った。しかし、一八七五年二月、マーガリの率いる先遣隊がほぼ大盈江《だいえいこう》(エーヤーワディー川の支流)にそって騰越方面に向かう途中、地元民と推定される何者かによって襲撃され、マーガリは殺害された。

さっそく、イギリス公使ウェイドはこの事件に抗議し、あわせてさまざまな外交懸案について要求をおこなった。清朝の海関に勤めるハートとデトリングが仲介にあたり、デトリングの任地だった芝罘《チーフー》(山東半島北岸の港)でウェイドと李鴻章が交渉した。こうして、一八七六年九月、芝罘協定が結ばれた。

その内容は多岐にわたるが、マーガリ殺害について清朝は謝罪し、賠償金を支払うことが定められた。また、新しく対外貿易のできる港を増やし、租界の釐金《りきん》(商品流通への課税)免除を規定するなど、通商についても具体的に規定していった。しかし、イギリスの批准は遅れて、一八八五年になった。

芝罘条約の規定では、マーガリ事件について謝罪の使節をイギリスに派遣することになっていた。一八七七年、イギリスに着いてその任を果たした郭嵩燾《かくすうとう》はそのままロンドンにとどまり駐英公使となった。これが、清朝の在外公館の始まりである。

郭嵩燾の英国派遣

郭嵩燾は湖南の出身で、科挙に合格して進士になった人物である。曾国藩とともに湘軍に加わって太平天国の鎮圧にあたった。しばらく郷里で過ごしていたが、日本の台湾出兵を機に朝廷から呼び出され、まもなく英国に派遣されることになったのである。

この英国滞在については、郭嵩燾の日記によって詳細を知ることができる。イギリスでは、政治・行政・学術に関する施設を見学するとともに、英字新聞を翻訳させて情報を集めた。また、ロンドンに駐在する各国公使とも、しばしば意見交換していた。この時代のイギリスでは、公開の科学実験が頻繁におこなわれていて、郭嵩燾もそれに足を運んでいたことがわかる。彼は、ヴィクトリア時代の繁栄を謳歌するロンドンという場で得られた多様な知識を克明に記録したのである。

英国が強くなったのは、わが清代からである。学問を探究して富強の基礎をつくったのも、明末にあたり、フランス・ドイツの諸国より遅い。機器を発明して工業をはじめたのは、実に乾隆以後〔一八世紀半ば以降〕だ。はじめは国政も非常に乱れていた。英国という国の成り立ちをよく考えてみると、ずっと変わらず国勢が増している理由とは、巴力門《パーラメント》議政院において国の基本政策をおさえ、買阿爾《メイヤー》を設けて行政に民の願いを取り入れているからだろう（光緒三年一一月一八日〔一八七七年一二月二二日〕）。

このようなイギリスの政治制度が優れた人材を生み出してきたというのに、郭嵩燾によれば中国は全くそれとは逆の方向に進んでしまったのである。

郭嵩燾は、イギリスでは人民に有益なことをめざした行政がとられるが、結果的にそれが国家に有益なことをもたらすことを、郵便切手を例として指摘している。切手を貼ることで遠くまで郵便を送ることができるが、国家はそれによって多くの収入を得ている。このようなもっぱら民のためを考えた行政が国家の利益になるような仕組みこそ、「西洋が日に日に富強となる理由なのだ」（光緒三年四月二日〔一八七七年五月一四日〕）。

ロンドンは、名士の集まる場でもある。オスマン朝の大宰相として憲法の制定に尽力したミトハト・パシャは追放処分をうけてロンドンに滞在していた。ペルシャ公使・日本公使らと同席の茶会で、ミトハト・パシャは次のように語った。

日本は出発が遅かったが、鋭意前進し、アジアで最も名をなした。日本が日に日に盛んになるなら喜ばしい。中国は天下第一の大国であり、昔から著名で、諸国みなが仰ぎ見た。中国が富強の成果をあげるなら喜ばしい。早く奮起したほうがよい。

これを聞いて郭嵩燾は慚愧《ざんき》の念にとらわれたという(光緒四年正月九日〔一八七八年二月一〇日〕)。日本に対するミトハト・パシャの高い評価が何によるのか、あまり明らかではない。その場にいたのはほとんどアジア人だということから、一種のアジア主義的な議論であるように思われる。

二年のロンドン滞在ののち郭嵩燾は帰国するが、そのまま官界を退いて湖南に戻ってしまう。そこで、郭嵩燾がイギリスで得た貴重な見聞は、さして大きな影響を与えることはなかった。これより先、彼が英国に至るまでの日記は総理衙門によって刊行されていたが、旅程での見聞にもとづいて西洋文明を評価する内容すら、厳しい批判を清朝官界から受けていたほどである。

すでに紹介したように、郭嵩燾は、ロンドン滞在のあいだに起こった外交案件、たとえば清朝と日本の琉球をめぐる対立やヤークーブ・ベグ政権への対応について、独自の意見を述べていた。それが必ずしも功を奏したとはいえないが、在外公館が政策決定過程に参与することは、すでに郭嵩燾から始まっていたのである。

コンバウン朝の滅亡

ビルマ情勢に話を戻すと、ミンドン王の次に即位したティーボー王はイギリスとの関係を慎重に扱わず、むしろフランスと結ぶ動きをみせた。そこで、イギリスは、森林伐採をめぐる紛争をきっかけとして、一八八五年に軍を動かして王都マンダレーを落とした。これが第三次イギリス・ビルマ戦争である。こうして、一八八六年一月、イギリスはビルマを英領インドに併合した。

コンバウン朝は清朝に朝貢していたうえに、ビルマがイギリスに支配されるようになると英領インドと雲南省は国境を接することになるのだから、清朝としてもビルマの動向に無関心ではいられなかった。

清朝は、駐英公使曾紀《そうき》沢《たく》や海関総税務司ロバート・ハートらを通じて交渉をすすめ、一八八六年七月、「ビルマとチベットに関する協定」が北京で合意された。これは、清朝の体面を重んじて、旧例にならい一〇年に一度、ビルマから清朝への朝貢を続けることを規定している。他方で清朝のほうはイギリスのビルマ支配を認めることになっていた。つまり、清朝は、コンバウン朝が滅亡しても朝貢が続けられればかまわないという立場をとったことになる。しかし、国境画定と通商条件について結論を出すことは先送りされた。

この点は、一八九〇年、駐英公使としてロンドンに赴任してきた薛福成《せつふくせい》によって課題とされた。雲南西部とビルマのあいだの山地には、シャンやカチンの人々が住んでいた。薛福成は、

現在の中国・ビルマ国境(雲南省瑞麗市)．多くの人々がこの国境ゲートを行き来している．薛福成がイギリス政府と交渉して1894年に設定した国境線は，この地点よりやや南にあたる．このゲート附近の一角を除く瑞麗江の南側地区は1897年にイギリスに無期限で貸し出され，1960年には正式にビルマ領となった(2009年，著者撮影)．

ここを国際法上の「無主の地」とみなしてイギリスと分割する形で、領土問題に決着をつけようとした。ここには積極的に領土拡張する主体として清朝を位置づけようとする薛福成の意図が込められていた。しかし、シャンやカチンの人々からすれば、知らないうちに自分たちの生活する領域に国境をひかれてしまうことになる。

一八九四年、イギリスと清朝とは条約を結んで、雲南・ビルマにおける国境を画定した。通商について、清朝はエーヤーワディー川の航行権を得て、ラングーンに領事館を置くことが認められた。

澳門の地位　広東省香山県から南に突き出た半島の先にある澳門《マカオ》は、一六世紀からポルトガル人が管理する地区となっていた。アヘン戦争以前には、対清貿易の拠点として重要な役割を果たしたが、香港がイギリス領となって発展すると、澳門は別の道を歩むことを余儀なくされた。一九世紀後半、一時はクーリー貿易の拠点となった。

一八八七年、澳門について清朝とポルトガルが交渉した結果、リスボン議定書が合意された。これを仲介したのは、清朝につかえて海関の総税務司となっていたハートである。このころ香港を通じて中国大陸に輸入されるアヘンに対する課税をどうするかが問題となっており、ハートは香港政庁に協力を求めた。すると香港政庁は、澳門にも香港と同じような措置をとらせてほしいといってきたので、清朝とポルトガル政府での交渉が必要となったのである。両国は、すでに一八六二年に条約を作成していたが、澳門の地位について清朝側に異議があって批准・発効に至らないままだった。そこで、このアヘン課税問題の機会に修好と通商に関する条約についても議論することになった。

交渉の焦点は、やはり澳門の地位だった。リスボン議定書では、清朝はポルトガルが澳門に永久に駐留し行政をおこなうことを認め、他方でポルトガルは清朝に無断で第三国に澳門を譲渡しないことを約束し、清朝のアヘン課税に協力することが決められた。ハートによれば、これは澳門の主権がポルトガルに渡されたことを意味しない。つまり、澳門の法的な地位をきちんと定めることは、将来の課題としてもち越されたのである。この時期、対外的に強硬な態度でめだっていた両広総督張之洞《ちょうしどう》も上奏文で「本来、澳門は中国の土地であり、〔ポルトガル人が〕永久に居住することを許可したにすぎません。ポルトガル人は居住地を管轄することができるだけです」と指摘していた（『張文襄公全集』巻二〇、一一葉）。

一八八七年一二月、北京で清朝とポルトガルが正式に条約調印に至ったが、依然として澳門の地位には曖昧なところが残り、しかもその領域の範囲も確定されないままになったのである。

ベトナムとフランス

今日のベトナム地域では、黎《レ》朝が清朝によって安南国王に封じられていたが、一八世紀後半に大動乱が起こった。阮《グエン》氏の三兄弟が蜂起してほぼ全国を制覇し、このうち北部を支配した阮恵《グエン・フエ》は帝位について西山《タイソン》朝をたてたのである。乾隆帝は黎朝を支援するとして軍を派遣したが、阮恵(光中《クアンチュン》帝)がこれを撃退したので、一七八九年、乾隆帝は阮恵を安南国王として承認せざるを得なかった。

阮福暎《グエン・フク・アイン》は、もともとフエを拠点として現在のベトナム中南部を支配してきた広南《クアンナム》阮氏の出身であったが、西山朝の勢力から逃れてシャムにゆき、さらにサイゴンに至った。彼は、フランス人のカトリック宣教師ピニョー・ド・ベーヌの支援を受けた。おりしもフランスでは革命が発生したため、ピニョーが期待していたフランス王の援軍は得られなかったものの、ピニョーは独力でインドから兵力を集めてきた。さらに、シャム王からも支持された阮福暎はついに西山朝を破って、一八〇二年に帝位について阮朝をたてた。

この情勢をみた清朝は、また態度を改めて、海賊鎮圧の功績があるとして阮福暎を越南国王に任じた。このとき決められた新しい国名「越南」の現地語読みが、まさに今日のベトナムという言葉の語源である。しかし、阮朝は国内ではあくまで皇帝の称号を用いた。

二代目の明命《ミンマン》帝は、科挙制度を整備し中央集権策を進めるとともに、国名を「大南国」と定めた。こうして、国家意識は強まり、儒教によってそれが支えられたことから、キリスト教に対する弾圧がおこなわれていった。

フランス軍に徴募されたベトナム兵．この絵を載せている曾根俊虎『法越交兵記』(1886 年刊)は，フランスのベトナム進出から清仏戦争に至る経緯を漢文で記し，列強のアジア侵略に警鐘を鳴らした．曾根によれば，同じベトナム人でもフランス軍が使うと強くなり，ベトナムの官が使うと弱くなるが，同国人でありながら敵味方になるのは理解しがたいという．

ナポレオン三世は、第二次アヘン戦争への参加と並行する形で、一八五八年、ベトナムに出兵した。スペインもフランスと同じく宣教師の殺害という理由から共同して参戦した。その結果、一八六二年のサイゴン条約では、サイゴンを含むコーチシナ(ベトナム南部)東部三省がフランス領として割譲された。つづいて、第三共和政のフランス政府も、一八七三年、ベトナムに侵攻し、翌七四年のサイゴン条約によって、コーチシナ全体がフランスの主権下に入り、阮朝はフランスの軍事的保護を受け入れ、フランスには紅河《こうが》の航行権も認められた。

この一八七四年のサイゴン条約は、ベト

ナムが完全に独立した国家であることを規定していたが、それは清朝との宗属関係を否定するためだった。清朝はこれに反論して、ベトナムは中国の属国であると指摘した。しかし、これだけでは、議論は平行線をたどるだけだった。

清仏戦争　天地会の首領劉永福《りゅうえいふく》は太平天国の滅亡後、ベトナムに入り、雲南との国境近くに拠点を構えていた。この私兵集団を黒旗軍《こっきぐん》という。阮朝と一定の協力関係をきずき、一八七三年にはハノイに侵攻してきたフランス軍とも戦ったことがある。それ以後も、フランスにとって黒旗軍は雲南との通商を妨害するじゃまな存在だった。

一八八二年、フランスは再びハノイに軍を進めた。これに対抗して、清朝も国境を越えて正規軍をベトナムに派遣した。清朝軍が黒旗軍とともにフランス軍と戦うなか、李鴻章はフランス公使と外交交渉を続けていた。

他方、一八八三年、フランスは阮朝とフエ条約(アルマン条約)を結び、ベトナムを保護国とした。

一八八四年四月、清朝の朝廷で政変が発生した。ベトナムでの軍事作戦の失敗を理由として、西太后は奕訢《えききん》らを失脚させて、新しい勢力配置をつくりあげたのである。その状況をうけ、李鴻章は、講和反対論をおしきってフランス軍人フルニエと協定をつくった。

しかし、この協定に従って撤兵する時点で、早くも対立が生まれた。同年六月、ベトナム北部の北黎《バクレ》で両軍は再び戦火を交えた。つづいて、フランス艦隊は、福州から馬江をさかのぼって福建の艦隊を壊滅させた。こうして、かつて左宗棠《さそうとう》が船政局の準備をはじめて以来の苦心も水の泡となった。また、フランスは台湾にも侵攻しようとした。このとき、台湾の防衛にあたったのが、李鴻章と関係の深い淮軍《わいぐん》の勇将劉銘伝《りゅうめいでん》である。フランス軍は基隆港《キールン》を攻撃し、激戦のすえ撤退した。また淡水方面からの上陸もねらっていたが、結局のところ劉銘伝はなんとか台湾の防衛に成功した。ただし、台湾に近い澎湖《ほうこ》諸島はフランス軍に占領された。

この清仏戦争は、結局、一八八五年の天津条約で決着がはかられた。これによりベトナム領内の治安をフランスが担当することになり、清朝の軍隊による介入は否定された。清朝はフランスとベトナムのあいだの条約などを尊重し、また中越の関係は、中国の「威望体面《いぼうたいめん》」を傷つけず、仏越の条約に反しないものと定められた。

この「威望体面」についての規定はかなり理解しにくいものだが、もともとは李＝フルニエ協定にあった言葉である。一八八四年五月の李＝フルニエ協定には「いまベトナムと改定しようと交渉している条約には決して中国の威望体面を傷つける表現を入れないことをフランスは約束する」とあり、具体的にいえば、一八八三年のフエ条約(アルマン条約)には、「中国を含めあらゆる対外関係をフランスが掌握する」とあったのが、一八八四年六月のフエ条約(パトノートル条約)では「中国を含め」という言葉が削除されたことを意味していると考えられる。いずれにしても、フランスはベトナムと清朝との宗藩関係を絶つことに関心があり、清朝の側ではそれを明記されると体面に関わるので反発する。

一八八五年の天津条約には阮朝と清朝との宗藩関係の断絶について明確な規定はなく、「威望体面」の尊重というわかりにくい言い方ですませている。清朝における講和反対論者を納得させるための方便として、このような表現がとられたのであろう。天津条約によって、清朝はフエ条約を承認したことになるから、事実上、今後はベトナムに口をはさまないと了解したはずだが、条約は、あからさまにその点を表現していない。

このような微妙な落着になったのは、清仏戦争の軍事的側面が背景にある。全体としてみればフランス軍が優勢という見方もできるが、清朝側も善戦して局所的には勝利しているし、まだ李鴻章が温存する北洋海軍などの軍事力もあった。どちらも簡単に勝利できない状況のもとでの講和であるから、原則論をなるべくさけ、実際的な問題を規定しようとしたのが、清仏天津条約だったといえるだろう。

ベトナムでは、文紳《ぶんしん》層を中心としてフランスに対する抵抗運動が続けられたが、次第に鎮定され、フランスの植民地支配が進められていった。

動揺する朝鮮

ベトナム問題に対応する李鴻章にとって、実は朝鮮の動向も非常に気にかかっていた。一八七九年、日本が琉球藩を廃して沖縄県を置いたことは、李鴻章に心配をもたらした。琉球王国という属国がなくなっただけでなく、同じことが朝鮮で起ると清朝にとっては大きな脅威となるだろう。李鴻章は、日本が朝鮮において力をもつのに対抗する一手段として、朝鮮に欧米諸国との条約締結を勧めることにした。

一八八〇年、朝鮮から日本に渡った修信使金弘集《きんこうしゅう》は、清朝の駐日公使館に勧める黄遵憲《こうじゅんけん》の著した『朝鮮策略』という書物を受け取った。これは朝鮮にアメリカとの条約締結を勧告したものであり、駐日公使何如璋《かじょしょう》の方針にもとづいていた。こうして翌年、朝鮮から金允植《きんいんしょく》が天津に行ったとき、李鴻章にアメリカとの条約交渉の希望を申し出るに至った。

一八八二年、アメリカ全権シューフェルトを交えて交渉が進められ、李鴻章は調印にあたっては腹心の馬建忠《ばけんちゅう》をソウルに派遣して監督させた。議論の焦点は、「朝鮮は清朝の属国であり、内政外交は自主だ」という内容を条約に書き込むかどうかにあった。この点については、主権国家どうしの条約に含めるのはおかしいとしてシューフェルトが反対していたものの、李鴻章としては属国という言葉はぜひとも残したいものだった。妥協策として、アメリカ大統領あてに「照会」を別に送って、そこに「属国にして自主」という点を明記することにした。実のところ、「属国にして自主」の意味内容についてアメリカ側の理解は得られなかったが、五月二二日、朝鮮とアメリカの条約は結ばれた。また朝鮮は同様の条約をイギリス・ドイツとも結んだ。

ところが、一八八二年七月、改革のなかで不満をいだいていた軍人が蜂起し、これを機として閔氏《びんし》政権は打倒され、国王の父である大院君《たいいんくん》が権力を回復した。この年の干支から壬午軍乱《じんごぐんらん》と呼ばれる事件である。日本は公使館が襲撃されたことから軍を派遣し、清朝も馬建忠を派遣するとともに日本に対抗して出兵した。この緊張のなか、馬建忠は大院君を捕らえて天津に送った。こうして、反乱は鎮圧され、閔氏政権が復権した。馬建忠の指示のもと、同年八月、朝鮮は日本と済物浦《さいもっぽ》条約を結んだ。他方で、馬建忠は、一〇月、清朝と朝鮮のあいだの商民水陸貿易章程を結んだ。朝鮮の開港に対応してこれまでの海上貿易の禁止を解き、相互の商人保護の制度をつくったものである。この前文には「水陸貿易章程は中国が属邦を優待する趣旨による」と記してあり、その規定を他国が援用することを認めない。清朝と朝鮮との特別な関係を明文化したのである。

このように清朝は、朝鮮への実質的な干渉を強めていったが、それは朝鮮側の反発を招いた。ついに、一八八四年、清朝の軍事力が清仏戦争に向けられたのを好機として、金玉均《きんぎょくきん》・朴泳孝《ぼくえいこう》らは日本公使館を後ろ盾としながら甲申政変《こうしんせいへん》を起こし、一時的に権力を握った。しかし袁世凱《えんせいがい》の率いる清朝軍がその試みを粉砕し、金玉均・朴泳孝は日本に亡命した。日本政府は、報復のためソウルに派兵した。この問題を解決するため、一八八五年、伊藤博文《いとうひろぶみ》が天津に赴いて李鴻章と交渉し、両国の朝鮮からの撤兵などを定めた天津条約を結んだ。

この後も、袁世凱は朝鮮に駐在し、その内政外交に介入しつづけた。しかも、朝鮮は、南下しようとするロシアとこれに対するイギリスという国際的な対抗関係の焦点となっていくのである。

東南アジアへの密使

鄭観応《ていかんおう》は澳門に隣接する香山県出身の買辦《ばいべん》で、李鴻章のもとで汽船・電報などの事業の運営にたずさわった。また、彼は改革政策に関わる知見を『易言《いげん》』という著作にまとめていた。

一八八四年、清仏戦争が危急をつげるなか、鄭観応は広東の海防を担当する高官から密命を受けて、東南アジア方面に行くことになった。任務は、フランス軍が食糧を確保する場所となっていたサイゴンなどの情勢を探ること、そしてシャム国王が清仏戦争にどのような姿勢をとるかを確認することの二つだった。

鄭観応は、サイゴン・シンガポール・バンコク・ペナン・プノンペンを訪問し、現地に暮らす華人の案内で、各地の現状を調査した。また、船上で一緒になった西洋人や日本人とも対話をして見識を広めようとしている。

シンガポールでは、鄭観応はまず地元の華僑である陳金鐘《ちんきんしょう》に会った。陳金鐘は、シャム王室との関係が深く、シャムのシンガポール領事を務めていた。他方で陳金鐘は清朝の輪船招商局の汽船事業にも出資していたから、輪船招商局の運営を担ってきた鄭観応がシャムとの仲介を頼むのに適当な相手だったことになる。鄭観応は次のように陳金鐘に説いたという。

いまフランス人は強大な力をふるって安南《あんなん》〔サイゴン近辺〕をおさえプノンペンを滅ぼそうとしています。イギリス人は狂暴な性質をあらわにしてインドを支配しビルマを奪い、海辺の南洋各島を侵そうとしています。どちらも通商や布教を口実としているものの、恐るべき本心を隠しもっているようです。ベトナムはすでに愚弄されていますが、もっと早く合従《がっしょう》〔友邦との連帯〕によって侵略をおさえるべきでした。もしシャムがなお優柔不断な態度でいて、ビルマと連携し中国に従わないならば、いずれはきっとベトナムと同じ運命をたどり、イギリスかフランスに滅ぼされるでしょう(『南遊日記』一二五頁)。

つづけて鄭観応は近年の中国が軍備を固めていることを指摘し、シャムが中国への進貢を欠いていることを批判した。陳金鐘は返事のなかで、清朝の問題点として君と民とが意思疎通できず富強の策が立てられないでいることを挙げ、シャムとの通商の重要性を強調したと、鄭観応は記している。

陳金鐘の紹介を得て、鄭観応はシャムを訪れた。このころ、ラタナコーシン朝シャムは、ラーマ五世(チュラーロンコーン王)の主導のもと、近代化政策を推進しようとしていた。その目標は、英仏の植民地主義に対抗し、領土を確保していくことにあった。鄭観応は、シャムの王弟に謁見し、清朝との関係について対論をおこなっている。

まず鄭観応は、王弟に対し、シャムがフランスに援軍を出すという風聞の真偽を問いただした。王弟の返答は、確かにフランスからその要請はあったが断ったというものだった。つづいて、鄭観応は、シャムが一九世紀半ばから清朝への進貢を停止していることを念頭に置いて、次のように述べたという。

貴国がフランスを助けないと聞いて、私としてもうれしく思います。しかし、貴国がわが清朝の臣として進貢して二〇〇年になり、代々恭順の姿勢をとっていることは、周知のことです。今、〔貴国が〕フランスの援軍としてベトナム出兵しないとすれば、進貢を再開するというのですか、それとも中国を助けてフランスに対抗するのですか（『南遊日記』三三頁）。

しかし、シャム王弟の返事は、考えぬかれた慎重なものだった。王弟は、最後に送った使節は広東に入ってから強盗に襲われたと指摘して、清朝側の不手際を示唆した。そして、これまで国書が翻訳の過程で改変されていて、シャムの意図が正確に伝わっていないとも述べ、進貢を停止したのは正当だと主張したのである。シャム王弟は、むしろ条約の締結を希望し、陳金鐘を天津の李鴻章のところに派遣して協議したいと述べた。鄭観応は、その交渉は可能だと答えて会談は終わった。

かつてシャムから清朝への進貢では、翻訳過程での国書の書き換えを不可欠としていた。シャムの文字で書かれた国書は、清朝皇帝の徳を賛美する漢文に作り替えられることで、はじめて北京で受け取られたからである。しかし、一八五五年、イギリスとバウリング条約を結んだあと近代外交制度をめざしていたシャム政府にとって、そのような文書の作為を続けることはできなかった。そこで、条約の締結が、両国のその後の懸案となっていく。

以上の偵察旅行は、鄭観応にとって、これまで持論としてきた改革の必要性を再認識する機会になったことが、彼の『南遊日記』からうかがえる。しかし、彼のとらえた東南アジア像は、たぶんに中国を本位とした見方にとどまっていた。陳金鐘との対話がかみ合わない感じがするのもそのためかもしれない。また、鄭観応が帰国するとき、陳金鐘に対し、同行して李鴻章らと交渉するように依頼して断られたのも、両者の立場の違いを示している。

陳金鐘は、イギリス籍民であり、ラーマ四世およびラーマ五世の信任を受けてシンガポールでシャム王室のための仕事を請け負っていた。彼は、バンコクで精米業を営み、白米をシンガポールなどに輸出する貿易にたずさわっていた。一八九〇年、駐英公使として赴任する途中の薛福成も、陳金鐘に会っている。薛福成によれば、陳金鐘は一八七七年の山西省の大旱魃に対して寄付金を出したり、左宗棠の海防事業にも資金提供したりしたことがあり、「私は中国を忘れていません。今後、何かあれば力を尽くしたいと思います」とまで発言したという（『薛福成日記』下冊、五二二頁）。

このように陳金鐘は、いくつもの顔を使い分ける国際人だった。清朝からきた使節にみせる顔は、その一つにすぎない。華僑の人々をどのように把握し利用するかということが清朝政府の課題となり、二〇世紀に入るころからは亡命政客や革命家たちもこのことに頭を使うようになっていく。

列強と清朝

一八七〇年代から八〇年代の清朝は、さまざまな国際対立について意欲的に対処し、列強とわたりあった。すでに第3章では、清朝が新疆のムスリム政権をたおし、ロシアとともに中央アジア分割をおこなう主体となったことを述べた。また、本節で挙げたように、粘り強く老練な外交交渉によって、なるべく有利な落着にもち込んだ例も少なくない。この時期の清朝の対外政策は、積極的に周辺地域への支配・覇権をめざすものだったといえるだろう。

2　学知の転換

曾国藩の自己点検　アヘン戦争も終わったころ、一八四二年末から四三年はじめにかけて、曾国藩の日記には、自己反省の言葉が頻繁に見られる。

寝坊した。まったく駄目だ。……この日、ある武官に対して刑部が首切り刑を執行するという誤った情報を耳にして、人に誘われて西の市〔刑場〕に見に行った。喜んでそれに従ったのは、仁の心が無かったからだ。それを悔いてからもすぐに帰らず、しばらくうろついてから、ようやく帰宅した。一日じゅうこんなくだらない過ごし方をして、それでも人といえるのか（道光二二年一二月一六日〔一八四三年一月一六日〕）。

寝坊した。まったく自分を戒める気持ちというものがない。朝から、だらけていた。食事のあと、歴史書を一〇葉読んだ。またも〔昼のうちに妻と〕情交に及んだ。以前、三つの誓いをしたのに、もう忘れたのか。日記を記しているのに、これほどの過ちをして改めないなら、他のことは言うまでもない。自ら進んで禽獣《きんじゅう》となり、それでもなお厚顔無恥にも正しい人たち、君子たちと交際することができようか（道光二三年一二月一九日〈一八四三年一月一九日〉）。

ここでいう三つの誓いとは、煙草を吸わない、嘘をつかない、妻との情交を慎むというものである。曾国藩は、そのほかにも早起きなどさまざまな戒めを自分に課しているが、それを守れなかったという反省ばかりが日記に書き連ねられている。

実は、曾国藩の日記のうち、この時期の部分が非常に特殊な性格をもっていて、自己点検を目的として書かれているようにみえる。その理由は、この特殊な部分が始まる日のところに記されている。曾国藩は、尊敬する儒学者官僚の倭仁《わじん》に会ったとき、日記をつけて自己反省に役立てるという修身方法を教えてもらったのである。

このような一見すると戯画的な修養のありかたは、個々人の道徳的完成を尊ぶ朱子学の考えに由来していた。そして、それは単に個人の生き方の問題にとどまらない。曾国藩が倭仁から聞いて日記に記したところによれば、「人心善悪の機微は、国家治乱の機微にあい通じる」のである（道光二二年一〇月一日〈一八四二年一一月三日〉）。

一九世紀半ばは、朱子学が復権してくる時代であり、倭仁はその動向を代表する人物といえる。一九世紀はじめまで考証学が盛んであり、むろんその流れは決して絶えてしまったわけではない。しかし、新しい発見を競う学問として考証学が展開するにしたがって、何のための考証かという点が曖昧になるような傾向も出てくることになった。そこで、個人の修養と治者としての自覚を結びつける朱子学の道徳教説が改めて見直されたのである。

北京に設けられた同文館に数学などの特別課程を開きたいという総理衙門の提言に対して、倭仁が反対したのも、あくまで治者としての道徳的達成こそが根本とみるべきだという彼の思想にもとづいていた。倭仁は、同治帝・光緒帝の師もつとめており、その影響力は大きかった。

曾国藩の日記を見るかぎり、道徳的修養への道のりは遠く、厳しい自己反省の日々も長くは続かなかった。しかし、人心のありかたが社会秩序の根本にあるという観点を、彼はその後も捨て去らなかった。曾国藩の学問は、朱子学と考証学を融合させたものと指摘される。それは、儒教の礼についての考え方によく示されている。正しい礼はどうあるべきかを考証することは、その礼を実践することを通じて心を正すのにつながり、その意味で朱子学的な道徳修養につながるというのである。

曾国藩は太平天国と戦うのに、儒教的な倫理が危機にさらされていることを、地方の士紳層に訴えかけた。しかし、太平天国や捻軍を鎮定したあと、彼は諸外国に対抗するために清朝の自強をはかり、国際社会のなかに清朝を位置づける仕事も担当しなくてはならなかった。曾国藩なりの儒教的な秩序理念を生かすだけでは、大きな限界があったといえる。

統治の要諦を人心のありかたに求めるのにとどまらず、具体的な制度を通じて考察しようとする論法も長い伝統をもっている。人心と政治制度とは、礼を通じて接点をもつ。またひとまず現状の制度の欠点について指摘してその改変を主張する場合にも、儒教の経典に記された理想的制度に込められた聖人の意思が引き合いに出されることも多い。

改革の主張

前に述べたように太平天国によって故郷の蘇州を追われた馮桂芬《ふうけいふん》は、『校邠廬抗議《こうひんろこうぎ》』をまとめた。この本はすぐには出版されなかったが、曾国藩にはこの写本が贈呈されている。馮桂芬が幕僚としてつかえた李鴻章など当時の有力者も読んでいたかもしれない。

馮桂芬が尊敬してしばしば引用するのは、一七世紀の顧炎武《こえんぶ》である。また、馮桂芬は林則徐を師とあおいでいた。このことからも、『校邠廬抗議』は、制度の是非を論じる経世論の流れをくむといえる。彼は、現実の制度を批判する根拠として、しばしば儒教の経書に言及している。つまり、その改革論は、古代の理想的制度に立ち返るという「復古」として説明されているのである。むろん彼は、何でも「復古」すべきだというのではなく、時勢に照らして適当なことを選択すべきだという観点を前提としている。

『校邠廬抗議』では、西洋に学ぶことも唱えられている。その重点は、外国の脅威に備えることにある。軍事技術の導入や外国語の学習、外国事情の収拾といった提言は、その後、まさに一八六〇年代における清朝の政策として実現していったことになる。

馮桂芬より二〇歳近く若い世代に属する王韜《おうとう》になると、西洋文明に対する理解が深まっていく。王韜ははじめ科挙の勉強をしていたが、開港後の上海で宣教師のもとで働いた。のち香港に移り、中国語の新聞として先駆をなす『循環日報《じゅんかんにっぽう》』を発行した。

彼の時代認識は、世界の一体化が進行しているというものである。

今日の欧洲諸国は、日に日に強盛にすすみ、智恵ある人が蒸気で動く船や車をつくって欧洲やそれ以外の大陸の諸国を結びつけ、東西の両半球にくまなく出向き、遠く離れた島や疎遠だった人々のところも訪れている。世界がひとつになる兆しはここに現れている(『弢園文録外編』巻一、二葉)。

王韜によれば、このような交通手段の発達によって世界がひとつになっていくにつれて、人々の倫理道徳も一致していく。東方の聖人の唱える道(儒教)も西方の聖人の唱える道も、結局は同じところに帰着していくはずだというのである。これは「大同《だいどう》」と呼ばれる。

こうなると儒教の経典の価値は相対化され、かなり自由に政治制度を論じることのできる可能性が生まれることになった。王韜が『申報』などに発表した論説は、そのような思想的な背景をもっていたのである。

古文字と書

清代考証学のなかで重視された研究対象としては、伝えられてきた文献だけでなく、金石《きんせき》の史料もある。青銅器に鋳込《いこ》まれた銘文やふるい碑文に刻まれた文章は、文献の記述を補うことのできる重要な根拠となる。ところが、他方で、これらの古い文字に美しさを見いだし、自分の書く書に生かそうとする動きが現れた。

一〇〇〇年にもわたって、漢字の書のなかで模範の地位を占めてきたのは、四世紀の王羲之《おうぎし》や八世紀の顔真卿《がんしんけい》の作品である。南朝の文化を体現する王羲之の書は力強く優美であるが、その真筆は失われた。わずかに模写されたものが伝わり、それをたとえば石に刻んで拓本をとるなどの方法で作られる法帖《ほうじょう》という形で珍重された。

一九世紀には、これに対して全く新しい動向がみられた。それは、金石に見られるさまざまな書体から示唆をうけて独創的な書をめざす者が現れたからである。一九世紀はじめに地方大官を歴任した阮元《げんげん》は考証学の大成者でもあり、金石にも造詣が深かった。阮元によれば、南朝の王羲之の書とされる法帖はどこまで真筆の風格を伝えるか疑問であり、それに対して、北朝の北魏などの時代の碑文に見られる雄渾《ゆうこん》な書体は価値があるという。

阮元の影響力もあって、北魏の碑文への関心は高まり、それから霊感を得て書をなす者も現れた。また、より古い書体である篆書《てんしょ》を実作に生かそうとする傾向もあった。同治帝への外国使節謁見に反対した人物として紹介した呉大澂《ごたいちょう》は、みごとな篆書で知られている。

呉昌碩「天竺図」(1909 年).
天竺(南天)と水仙は長寿の象徴. 石も同様の意味をもつ寿石だろう. 画題は伝統的だが, 色づかいと筆づかいは独自の境地を示す(『清史図典』12).

篆書は、印章を彫るときに用いる書体でもある。浙江省に生まれた呉昌碩《ごしょうせき》は、若くして太平天国の戦乱にあい辛酸をなめた。官僚になるため勉強したが、一時的に仕官したにとどまり、まず篆刻で生活を立てようとし、詩・書・画のそれぞれで才能を発揮した。上海が経済的に発展すると、彼の書画や篆刻もよい値がつくようになり、作品を売って生きる文人として活躍しつづけた。呉昌碩の作品には古い時代を回顧するような雰囲気が感じられるが、それ自体、あわただしい社会変化のなかで書画を買い求めようとする人々の需要を巧みにとらえた結果だったかもしれない。

日本にも、清末の新しい書の傾向は伝わってきた。その過程では、歴史地理学の研究で知られる楊守敬《ようしゅけい》が果たした役割が大きい。初代駐日公使の何如璋《かじょしょう》によって随員に招かれた楊守敬は一八八〇年に来日した。彼は、中国ですでに散逸した古い書物を日本で買い集めた。また、彼が大量に碑文の拓本などを持参してきたことは、近代日本の書道史にとって大きな刺激となる事件だった。書に関心をもつ両国の文人がさまざまな形で交流するなかから、明治日本の新しい書道が生まれていった。

阮元は、両広総督として広州に赴任していたとき、経学についての研究を進める学《がく》海堂《かいどう》を設立し、広東に考証学をもたらした。しかし、広東の学問がそれによって考証学一辺倒になってしまったわけではなく、朱子学を重視する学風も残っていた。

模索する康有為

康有為《こうゆうい》は一八五八年、広州府南海県に生まれた。彼に大きな影響を与えた師である朱次琦《しゅじき》も朱子学を重んじる学風をもっていた。しかし、康有為はその教えにもあきたらず、山中にこもって静座に励んだり、儒教だけでなく広く読書をしたりした。その過程では、仏教や欧米の学問にも関心を抱いた。

康有為は、上海を訪れたこともあり、西洋書籍の漢訳にふれる機会があった。その時期に中国語で読める西洋文明を紹介した書物といえば、自然科学の内容がほとんどを占めていた。イギリス人宣教師メドハーストらが開いた墨海《ぼくかい》書館や李鴻章が影響力をもった江南製造局の翻訳館が理科系の書物を多く出版したからである。また、一八七四年、アメリカ人宣教師アレンがそれまで出していた定期刊行物の宗教色をうすめて刊行をはじめた月刊誌『万国公報』も康有為に大きな刺激を与えた。

江南製造局から出版された書物が科学技術を中心としていたのは、この施設がそもそも軍事工業の発展をめざしていたことから自然なことといえる。プロテスタント宣教師たちが、理科系の学問を紹介した理由は、自然科学の展開こそが西洋文明の優越を示すという発想に加えて、自然の秩序のなかにそれを創造した神の存在を見いだすという神学的立場がまだ力をもっていたからだろう。

このような理科系の本を読んだ康有為は、顕微鏡で見える微生物の世界から、望遠鏡で見える火星にまで、強い関心をいだいた。われわれ人類という存在は、極小の世界と広大な宇宙のなかで、いったいいかなる位置を占めるのか。自然科学の知識は、これまで彼がもっていた世界観を大いに広げていった。欧米の文学作品や社会科学の理論書の紹介はまだ遅れていたが、理科系の学問もやはり大きな思想的衝撃力をもっていたのである。

ユークリッド幾何学も康有為を魅了した。のちに書かれた『実理公法全書』(一八九一年以降に成書)は、まさに幾何学の証明法によって社会の秩序を導きだそうとしている。人間の本性に立ち返って倫理のありかたを論理的に導きだそうとする傾向からは過激な結論にも到達しうる。「そもそも魂と魂とが長く和合することは最も難しい」という前提から出発して、結婚制度を否定するに至るのである。

一八八八年、康有為は、科挙試験のため北京にのぼった。そこで、清仏戦争後の時勢を憂いて大胆な改革を提言する上書を皇帝に届けようとしたが、取り次いでくれる高官は誰もいなかった。康有為は、やむなく金石文の研究をして日々を過ごした。北京は書店や収蔵家が多く、古碑の拓本などを手に入れるのは容易だった。

まもなく康有為は帰郷して学問と教育に専念した。一八九一年には『新学偽経考《しんがくぎけいこう》』を完成した。この書物は、前漢末の学者劉歆《りゅうきん》が偽の経書をつくり王莽《おうもう》が漢王朝から帝位を簒奪《さんだつ》するのを助けたということを主張する。ずっと孔子の教えを伝える書物と信じられてきた経書のいくつかは、実は偽造されたものだというのだ。まったく破天荒な指摘である。とはいえ、清代考証学の成果のなかには、ある経書の一部は孔子のものではなく後世につくられたと証明した事例もあったし、『新学偽経考』もいちおうは考証する形式をとっている。しかし、康有為には、自説に都合の悪い史料はすべて偽造されたものだと断じるといった強引な論法がみられる。

『新学偽経考』も徹底的な懐疑という点では『実理公法全書』の精神とあい通じる。しかも、このように経書を懐疑する作業は、康有為が考えるところの孔子の真の教えを明らかにする前提となる。そして、康有為は、孔子こそが偉大な政治改革者であるという見方を打ち出し、清朝の改革を進めるための根拠にしようとしていった。

こうして、清朝時代の考証学は、確信犯的に政治利用されるものへと意外な方向転換をさせられたといえるだろう。

3　清朝の終幕にむかって

台湾をどのように統治してゆくのかという問題は、一九世紀後半の清朝にとって重要な課題となった。一八七一年、琉球船が台湾に漂着し、これに乗っていた宮古島の島民が台湾先住民に襲撃されるという事件が起こった。一八七四年、日本はその報復という理由から台湾に出兵したが、清朝はこれに衝撃を受けて台湾防衛についての議論が高まることになった。

台湾省の成立

台湾は福建省の一部分だったものの、海を隔てた行政ではゆき届かないところもあるとして、福建巡撫が半年ほど台湾に駐在することも多くなった。一八八四年から八五年の清仏戦争では、フランス軍は台湾北部を攻撃し、台湾に近い澎湖諸島を占領した。このような経緯をふまえて、一八八五年、朝廷は台湾をもっぱら管轄する巡撫をおくことに決定した。そして、一八八八年までに実際に福建省との行財政の分割事務が進められた。

巡撫としてまず台湾省の統治にあたったのが、劉銘伝《りゅうめいでん》である。劉銘伝は、清仏戦争での台湾防衛を担当した人物である。もともと李鴻章の指揮下で捻軍の鎮圧作戦に戦功をあげた劉銘伝も、このころは身体の不調に悩まされていた。劉銘伝は、台湾を省として分離させることには時期尚早という意見をもっていたものの、初代の巡撫に任じられたあとは意欲的な政策を展開していった。

劉銘伝は、土地税の増収をはかるため土地所有の実態調査を進めた。先住民も積極的に支配下に入れて同化していく政策をとった。鉄道・電信・郵政といった運輸・通信事業、外国語や科学技術の教育事業や実業振興も意図していた。

台湾省を統治する官庁は、本来は現在の台中市のあたりに設けられるはずだったが、事実上、劉銘伝は台北にいて統治の任にあたった。必ずしもうまくいかなかったところもあるが、上水道、電気、ごみ処理の機構も台北への導入がめざされた。もともと台湾において人口が多かったのは台南を含む地域だったが、一九世紀末には台湾北部で茶業が発展するなど経済の重心は次第に北部に傾きつつあった。劉銘伝が台北を中心として新規事業を進めたのは、そのような経済動向とも即応していたのだった。

劉銘伝が台湾でとった政策は、清朝治下の他の省と比べても進んでいたといえる。ただし、すべてを成功させるには財源が足りず、しかも改革は急激すぎた。彼が離任したあと、かなりの事業が停止されたのも、財政緊縮という要因が大きい。それでも、劉銘伝の統治がその後、台湾の発展にとって一つの出発点になったとはいえるだろう。

清仏戦争ののち李鴻章は、支配下の北洋海軍をさらに強化していった。ドイツから購入した「鎮遠」「定遠」の二隻の戦艦が中心であり、基地として威海衛《いかいえい》（山東半島）と旅順（遼東半島）の二港を整備した。「鎮遠」「定遠」は、一八八六年と九一年に日本に親善訪問した。このことは、日本の世論を刺激し、清朝海軍に対する脅威論が高まった。

日清戦争と改革の始動

一八九四年、朝鮮で東学に依拠した農民反乱が起こると、日清両国は朝鮮に出兵し、ついに開戦に至った。おおむね日本軍の優勢のもとに戦局はすすみ、翌九五年、下関条約で清朝は朝鮮への宗属関係を放棄し、台湾などを日本に割譲し、賠償金を支払うことになった。敗戦の責任を問われた李鴻章の立場は苦しかった。北京では、たまたま科挙受験のため北京に来ていた康有為が受験生を集めて講和反対の上奏をおこなおうとした。そこには遷都して抗戦し、あわせて変法（政治制度改革）を進めることが主張されていた。

康有為とその弟子の梁啓超《りょうけいちょう》らは、変法のために新しい型の政治運動をはじめた。それは、学会という政治結社をつくり、また雑誌を通じて宣伝するという手法である。康有為の政治変革の理論的基礎は、孔子改制の説である。つまり孔子は、太古の聖人に仮託して政治制度を創作した偉大な人物というものだが、今日の危機にあたっては孔子がおこなったのと同様に新たな制度構築が不可欠だという含意をもっている。

朝廷では依然として西太后が権力を握っていたものの、光緒帝は一八八七年から親政を始めていた。一八九八年、康有為は、ついに光緒帝の支持をえて、変法を始めた。次々と変法の上諭がくだされた。しかし、これらは西太后の不満を招いた。しかも、多くの官僚・士大夫も、康有為の唱える孔子改制の説など経学上の新奇な意見には全く賛成できなかった。このころ、より穏健な改革論として、先にみた馮桂芬『校邠廬抗議』や、張之洞『勧学篇《かんがくへん》』が朝廷の命で印刷・普及されたのは、康有為の学説についてゆけない人々の存在を暗示している。

結局のところ、この戊戌《ぼじゅつ》の年の変法運動は、光緒帝を後ろ盾とするだけで、支持基盤があまりなかったというほかない。ついに西太后は軍事力で変法を停止させた。光緒帝は幽閉され、関係者は逮捕された。康有為と梁啓超はたがいの安否もわからないまま亡命し、かろうじて日本で再会を果たした。

新政から革命へ

一九〇〇年、華北の民間信仰のながれをくむ義和団の運動は天津・北京に及び、租界や公使館を包囲した。清朝も外国人への攻撃を命じる上諭をくだした。しかし、その結果は、八か国(日・露・英・米・仏・独・伊・墺)の連合軍による天津・北京の占領におわり、義和団の人々は残酷に鎮定された。

一時的に西安に逃げた朝廷は、新政つまり政治改革を命じた。こうして、次第に科挙の廃止、実業振興といった政策がとられるようになった。なかでも科挙の廃止は大きな意味をもっていた。新しい教育制度が導入されはじめるとともに、海外とくに日本への留学が目だった流行となっていった。

他方、亡命した康有為の一派は、海外に支持者を求めて宣伝活動を進めていった。支持を訴えかける対象は、華僑と留学生である。しかし、二〇世紀にはいるとまもなく孫文らのように清朝の打倒をめざす一派が登場してくる。本来、康有為と孫文とでは、対外危機に備えるために急速な政治変革が必要だという点では一致するところは多かったかもしれないが、別の政治集団をつくったならば相互に異なる旗幟《きし》を鮮明にする必要がある。そこで康有為らは「保皇《ほこう》」(光緒帝のもとでの政治改革)をめざし、清朝打倒の「革命」を志す集団と対抗することになった。「保皇」派と「革命」派は同じように華僑と留学生に支持者を獲得しようとするから、厳しい競合関係にあったのである。

清朝も、一九〇五年ごろからは立憲君主制の導入をめざし、地方自治を構築することで地方の士紳を支持基盤とした体制づくりをめざした。

革命派と一言でいっても、その内部は分裂ぎみだった。また、広東など南方で武装蜂起を試みる孫文の作戦も失敗が続いた。結局、成功したのは、軍隊に入り込んで同志の輪を広げる方策だった。

清朝崩壊のきっかけとなったのは、鉄道建設問題だった。清朝は税収などを担保として外資を導入することで全国の鉄道を整備しようと意図していた。一九一一年、清朝が幹線鉄道の国有化を宣言すると、四川省などでは、すでに鉄道に投資した株主から猛反発がおこった。これが暴動に発展する情勢のなか、武昌の軍隊で蜂起がおこって湖北省は清朝からの独立を宣言した。すると、南方の多数の省も次々とこれにならった。すでに各省のレベルで結集した地元有力者は、それほど清朝を必要としていなかったのである。

ここで、清朝は、隠棲させていた袁世凱を起用して革命の鎮圧にあたらせた。北方をおさえる清朝側は依然として強力であり、中華民国を建国した革命派も妥協をせまられた。そこで、一九一二年、袁世凱は革命派と取り引きし、宣統帝《せんとうてい》(在位一九〇八―一二年)を退位させるかわりに自らが中華民国の臨時大総統に就任した。こうして、二七〇年以上つづいた清朝の政権は幕を閉じることになった。

おわりに

清朝の危機と再編

一八世紀末、一見すると繁栄を極めたかのように思われた清朝には、次第に体制の危機がしのびよっていた。平和ゆえの急速な人口増加による社会問題の発生、財政難、官界の紀律のゆるみなどである。そこで、嘉慶帝・道光帝は意欲的に統治の刷新を意図したし、陶澍《とうじゅ》や林則徐といった官僚も改革に努めた。

しかし、一九世紀前半における世界的な金融の動向は、銀の流入を前提とした財政運営をしてきた清朝に危機感を与えた。銀流出の原因とみなされたアヘン問題に道光帝が熱心に取り組もうとした結果、清朝はイギリスと一戦を交えることになる。

一九世紀半ばの太平天国などの反乱や第二次アヘン戦争は、清朝の存亡をあやうくした。しかし、一八六〇年代以降、清朝はイギリスとの関係を安定させて、諸反乱も次々に鎮圧していった。そして、一八七〇年代から八〇年代には、列強と激しくわたりあい、領土を維持し、ときには周辺諸国への影響力を強めようとすらした。

清朝が体制を立て直すことができたのには、いくつかの理由がある。各地の士紳に対しては、買官などで大量の官位を与え、実質的な地方経営をゆだねて支持をとりつけた。また、対外貿易の発展、商品流通の展開は、それらから得られる税収を清朝にもたらした。一九世紀中葉のアメリカやオーストラリアにおける金鉱の発見ののち余りぎみとなった銀は清朝などアジアに流れ込むようになった。外国銀行の投資活動もその表れである。また、海関に雇ったハートやデトリングをうまく使い、イギリスなどがつくった軍事的・経済的な国際秩序を利用することもできた。

こうして、危機を克服して近代世界の仕組みに対応するなかで、清朝の統治は変化していった。そもそも東北アジアに起源し広大な内陸地域をおさえた清朝の国家体制にとって、統治を支える重心はますます東南沿海部に傾いていった。たとえば、陝西《せんせい》から新疆《しんきょう》にわたるムスリム反乱を左宗棠《さそうとう》が鎮定できた一要因として、清朝が巨額の軍費を海上貿易の関税で支えようとし、上海に進出した外国銀行も清朝に協力して借款をあたえたという事情はみのがせない。

汽船の時代は、沿海部と長江流域の発展にとっては有利な環境を提供したが、そのような発展から取り残された地区は、辺疆や内陸に多くみられた。清朝の関心からも見捨てられがちな地域は、不利な状況を克服することができず、停滞の局面にはいる。沿海部と内陸部との経済格差は、まさに一九世紀に直接の起源をもつのである。

清朝と国民国家理念

清朝が、東北アジアに由来しながら、史上まれにみる広大な領域、多くの人々に支配を及ぼすようになった経緯には、満洲の人々の才覚に加えて、偶然の事情も多く作用していた。清朝にとって最大の難敵だった明朝が李自成《りじせい》の農民反乱軍によって滅ぼされたのは、清朝の発展にとって思いがけない幸運だった。そして、ジューンガルとの戦いに勝ったあとは、モンゴル高原からチベット、そして天山北路・南路までおさえる国家にまで成長した。

清朝の統治のありかたは、一元的なものではなかった。たとえば、モンゴルの人々にしても、ごく早い時期から清朝に従い八旗に加わった者と、ジューンガル平定後にようやく帰順した者とでは、清朝との関係は同一ではない。チベットのダライ・ラマは、清朝の護持を受けるようになったが、そのことは仏教的な語彙によって説明されることが必要だった。漢人に強制された辮髪も、新疆のムスリムやチベット人には関係なかった。藩属国の扱いも、すべて個別的な事情によって決まっていたのであって、何か統一的な原則によって説明されていたわけではない。

こうして、王朝権力との個別的な論理によってそれぞれ関係づけられた人々が、全体として清朝という国家を構成していたのである。しかし、これは、近代の国民国家理念に照らしてみると、まったく困った事態である。国民国家の政治権力が正当化されるためには、国民の意思という説明項が必要となる。そのためには、国民が一つのものだと想定されなくてはならない。これまでの皇帝支配ならば必要なかった説明を、二〇世紀になると求められることになる。

二〇世紀初頭におこなわれた梁啓超《りょうけいちょう》と革命派との論争のなかには、この国民をどのように構想するのかという問題が真剣に問われていた。梁啓超は、満と漢の区別を強調しない立場であり、清朝版図の範囲で国民意識を育てることをめざしていた。これに対し革命派の論客である汪精衛《おうせいえい》は、民族に即した国民という観点をはっきり打ち出している。

しかし、梁啓超も汪精衛も広東人であって、清朝が内陸アジアに勢力を及ぼした事情の認識は不足していたようである。議論の焦点は、なぜ清朝の統治範囲と国民国家とが関連づけられるのかという問いでなくてはならないが、その点について梁啓超や汪精衛の説明は十分ではなかった。清朝の統治してきた範囲で国民形成するといっても、その範囲はなぜ正当化されるのかという疑問に対し、彼らはきちんと答えてはいない。実際にハルハ地方を中心とするモンゴルは、清朝が消滅したことを根拠として中国の国民形成には加わらないことを宣言し、別の国家を建てる道を歩んだのである。他方で「民族こそが国民の実体だ」とするならば、各民族が自らの国民国家をつくるべきだということになり、論理的には清朝の版図を分裂させるべきだという主張になるはずだが、実際にはそこまで徹底して主張した反清の革命論者はいない。

以上のように清朝統治と国民国家理念のずれを意識するならば、本書でみてきた清朝の歴史がなぜ中国近現代史の一部となるのかという疑問も起こってくるだろう。

中国近現代史の起点としての清朝

とはいっても、清朝という国家を総体として視野におさめていくことをしなければ、二〇世紀から今日に至る中国の歴史を理解することはできない。つまり、東北アジアに起源し広大な内陸アジアに勢力を及ぼした清朝という国家が二〇世紀はじめまで存在し、近現代の中国史はその前提条件のもとで展開してきたことをしっかりと理解することが大切なのである。

たとえば、一九世紀後半の世界で大きな影響力をもった「人種」や「民族」といった疑似科学理論も、このような満洲人王朝を分析するという文脈で受け入れられた。もし「漢族」と「満族」が異なる種族であるならば、「漢族」はどうして「満族」支配をそのままにしておくことができるだろうか。このように満洲人の支配を否定する議論は、ともすれば「漢族」の優秀さを強調することになり、その後の国民統合に大きな影を落とすことになる。

清朝の版図についてみれば、その拡大の経緯からして、多様な人々を各様の仕方でつなぎとめることで成立し、広大な内陸を含み込んでいた。一九世紀中葉の危機を乗り越えた清朝は、イギリスが覇権をにぎる近代世界に対応するなかで、新局面を沿海部で開いていった。

このような大陸国家としての清朝の性格が変遷していった過程に留意することは、日本人にとっての落とし穴である「東アジア」という枠組みの問題性を意識することでもある。「東アジア」とは往々にして日本とその近隣国家の意味で用いられ、中国もそのなかに含まれる場合も多い。しかし、清朝にしても今日の中国にしても、広大な大陸国家であり、ロシアなどと長い陸上の国境をもつ国である。中国からみれば四方に隣国があるわけだが、そのなかで日本がとくに大きな意味をもつようになったこと自体、一九世紀末以降の日本の軍事的・経済的な台頭という特殊な時代性を帯びていたのである。

清朝は、最末期になってようやく「帝国」と名乗り始める。その意味で、たとえば一八世紀までの清朝に「帝国」という言い方を当てはめるのは誤解のもとである。「帝国」という言葉は、古い漢籍にはほとんど見られないので、このような言い方はおもに日本の影響であろう。一八九五年の下関条約では「大清帝国」という言い方が用いられているが、「大日本帝国」にあわせた表現のようにみえる。一九〇八年に宣布された欽定憲法大綱の第一条には「大清皇帝は、大清帝国を統治し、万世一系、永久に奉戴される」とある。万世一系というのは、この時代の各国憲法のなかでも大日本帝国憲法にのみ出てくる言葉であるから、この条文自体も大日本帝国憲法を参考としていることは明らかであろう。

このように憲法を通じて皇帝権力を確たるものとしながら国民統合を進めようとする「大清帝国」は、「大日本帝国」の近代化政策を強く意識していた。辛亥《しんがい》革命以降も、日本は東から経済的・軍事的に中国に進出をねらう存在でありつづけたし、それに対抗する形で二〇世紀前半の中国の国家形成も進められた。

今後、日本にとって中国はますます大きく重要な交流相手となることは確かであろう。しかし、現在の中国が歴史的な背景としてもつのは、清末の近代化だけではなく、ユーラシア東部の広域的政治支配を展開した清朝の存在である。そのように考えておくほうが、中国について奥行きをもって理解することができるに違いない。

あとがき

清朝の後半期について、その生き生きとした時代像を描き出したいというのが、本書執筆の最大の動機だった。ともすれば単に衰亡の過程とみなされがちな歴史をとらえ直したい。

一九一一年の辛亥革命ののち清朝が政権を失うと、勝った側の視点からさまざまな評価が清朝に与えられた。外国の侵略に対し何らなすすべもなかった腐敗堕落した王朝という見方は、実は辛亥革命を正当化するという政治性を強く帯びていたのであり、今日の我々がそのまま受け入れることはできない。

他方で、近代中国の起源として清朝時代後半の歴史をみていくならば、沿海部の景況と内陸地区の貧困といった格差の由来を考えることもできるし、民族問題の解決困難といった人類史的な問いに直面することにもなる。現代中国が示すさまざまな様相も、そのように清朝までさかのぼって考えてみるべき多くの論点を含んでいる。

本書を書くにあたっては、先学の研究のなかに引かれている史料を自分で探し出して読んでみるという作業が最も楽しいものだった。たとえば、民国時代につくられた『清史稿』洪亮吉伝のなかには、不埒な言動でイリに流された洪亮吉をゆるすときの嘉慶帝の心境を述べた言葉が引用されている。その出典を探して東京駒込の東洋文庫という図書館にゆき、嘉慶帝の詩集のなかにその言葉を見つけるとともに、嘉慶帝が日々の政務にも関係して(あまり文学的とは言えそうもない)詩をつくっていたことを知った。これによって嘉慶帝の生真面目すぎる統治姿勢を感じることもできた。このように本書で紹介した史料の大半はすでに先学が引用しているが、その解釈については私が自分なりに考えた結果、場合によっては先学とはやや異なる意味づけを与えたものも少なくない。

本書の筋立ては、歴史学研究会編『世界史史料』第九巻(岩波書店、二〇〇八年)の中国史の章の編集を担当したときの作業に多くを負っている。その作業をともにした並木頼寿先生は二〇〇九年盛夏に逝去され、本書を見ていただけないのを痛恨の至りに思う。

本書が成るまでには、新書編集部の小田野耕明さんをはじめとする皆様に本当にお世話になった。それから、とくにお願いして村上衛さん(横浜国立大学)に原稿を読んでいただき、多くの示教をいただくことができた。深く感謝したい。

二〇一〇年五月初旬　連休のある晴れた日に

吉澤誠一郎

日本史

日本の中世を歩く　五味文彦
源　義経　五味文彦
藤原定家の時代　五味文彦
アマテラスの誕生　溝口睦子
坂本龍馬　松浦　玲
新選組　松浦　玲
ポスト戦後社会　吉見俊哉
高度成長　武田晴人
占領と改革　雨宮昭一
アジア・太平洋戦争　吉田　裕
満州事変から日中戦争へ　加藤陽子
大正デモクラシー　成田龍一
日清・日露戦争　原田敬一
民権と憲法　牧原憲夫
幕末・維新　井上勝生
中国残留邦人　井出孫六
創氏改名　水野直樹
証言 沖縄「集団自決」　謝花直美

幕末の大奥 天璋院と薩摩藩　畑　尚子
遣唐使　東野治之
正倉院　東野治之
木簡が語る日本の古代　東野治之
戦艦大和 生還者たちの証言から　栗原俊雄
金・銀・銅の日本史　村上　隆
武田信玄と勝頼　鴨川達夫
中世日本の予言書　小峯和明
「お墓」の誕生　岩田重則
邪馬台国論争　佐伯有清
歴史のなかの天皇　吉田　孝
日本の誕生　吉田　孝
沖縄現代史〔新版〕　新崎盛暉
沖縄戦後史　中野好夫・新崎盛暉
山内一豊と千代　田端泰子
刀狩り　藤木久志
日露戦争の世紀　山室信一
戦後史　中村政則
博物館の誕生　関　秀夫

BC級戦犯裁判　林　博史
明治デモクラシー　坂野潤治
環境考古学への招待　松井　章
江戸の旅文化　神崎宣武
日本人の歴史意識　阿部謹也
明治維新と西洋文明　田中　彰
小国主義　田中　彰
高杉晋作と奇兵隊　田中　彰
飛鳥　和田　萃
奈良の寺　奈良文化財研究所編
西園寺公望　岩井忠熊
日本の軍隊　吉田　裕
昭和天皇の終戦史　吉田　裕
地域学のすすめ　森　浩一
植民地朝鮮の日本人　高崎宗司
検証 日韓会談　高崎宗司
中国人強制連行　杉原　達
聖徳太子　吉村武彦
日本の近代思想　鹿野政直

岩波新書より

文学

ミステリーの人間学　廣野由美子
琵琶法師　兵藤裕己
小林多喜二　ノーマ・フィールド
自負と偏見のイギリス文化　J・オースティンの世界　新井潤美
いくさ物語の世界　日下力
漱石　母に愛されなかった子　三浦雅士
中国の五大小説 下　水滸伝・金瓶梅・紅楼夢　井波律子
中国の五大小説 上　三国志演義・西遊記　井波律子
三国志演義　井波律子
歌仙の愉しみ　大岡信・岡野弘彦・丸谷才一
新折々のうた 総索引　大岡信編
新折々のうた 1〜9　大岡信
折々のうた 総索引　大岡信編
第三〜十折々のうた　大岡信
折々のうた 正・続　大岡信

中国名文選　興膳宏
日本の神話・伝説を読む　佐佐木隆
アラビアンナイト　西尾哲夫
翻訳家の仕事　岩波書店編集部編
グリム童話の世界　高橋義人
ドイツ人のこころ　高橋義人
小説の読み書き　佐藤正午
魔法ファンタジーの世界　脇明子
笑う大英帝国　富山太佳夫
季語集　坪内稔典
俳人漱石　坪内稔典
森鷗外 文化の翻訳者　長島要一
チェーホフ　浦雅春
英語でよむ万葉集　リービ英雄
小説の終焉　川西政明
源氏物語の世界　日向一雅
古事記の読み方　坂本勝
花のある暮らし　栗田勇
一億三千万人のための小説教室　高橋源一郎

ダルタニャンの生涯　佐藤賢一
漢詩　松浦友久
伝統の創造力　辻井喬
西行　高橋英夫
一葉の四季　森まゆみ
戦後文学放浪記　安岡章太郎
アメリカ感情旅行　安岡章太郎
西遊記　中野美代子
フランス恋愛小説論　工藤庸子
ロビン・フッド物語　上野美子
太宰治　細谷博
読みなおし日本文学史　高橋睦郎
ぼくのドイツ文学講義　池内紀
芥川龍之介　関口安義
俳句という愉しみ　小林恭二
俳句という遊び　小林恭二
漱石を書く　島田雅彦
短歌をよむ　俵万智
新しい文学のために　大江健三郎
日本の恋歌　竹西寛子

岩波新書より

環境・地球

世界史

岩波新書新赤版一〇〇〇点に際して

ひとつの時代が終わったと言われて久しい。だが、その先にいかなる時代を展望するのか、私たちはその輪郭すら描きえていない。二〇世紀から持ち越した課題の多くは、未だ解決の緒を見つけることのできないままであり、二一世紀が新たに招きよせた問題も少なくない。グローバル資本主義の浸透、憎悪の連鎖、暴力の応酬――世界は混沌として深い不安の只中にある。

現代社会においては変化が常態となり、速さと新しさに絶対的な価値が与えられた。消費社会の深化と情報技術の革命は、種々の境界を無くし、人々の生活やコミュニケーションの様式を根底から変容させてきた。ライフスタイルは多様化し、一面では個人の生き方をそれぞれが選びとる時代が始まっている。同時に、新たな格差が生まれ、様々な次元での亀裂や分断が深まっている。社会や歴史に対する意識が揺らぎ、普遍的な理念に対する根本的な懐疑や、現実を変えることへの無力感がひそかに根を張りつつある。そして生きることに誰もが困難を覚える時代が到来している。

しかし、日常生活のそれぞれの場で、自由と民主主義を獲得し実践することを通じて、私たち自身がそうした閉塞を乗り超え、希望の時代の幕開けを告げてゆくことは不可能ではあるまい。そのために、いま求められていること――それは、個と個の間で開かれた対話を積み重ねながら、人間らしく生きることの条件について一人ひとりが粘り強く思考することではないか。その営みの糧となるものが、教養に外ならないと私たちは考える。歴史とは何か、よく生きるとはいかなることか、世界そして人間はどこへ向かうべきなのか――こうした根源的な問いとの格闘が、文化と知の厚みを作り出し、個人と社会を支える基盤としての教養となった。まさにそのような教養への道案内こそ、岩波新書が創刊以来、追求してきたことである。

岩波新書は、日中戦争下の一九三八年一一月に赤版として創刊された。創刊の辞は、道義の精神に則らない日本の行動を憂慮し、批判的精神と良心的行動の欠如を戒めつつ、現代人の現代的教養を刊行の目的とする、と謳っている。以後、青版、黄版、新赤版と装いを改めながら、合計二五〇〇点余りを世に問うてきた。そして、いままた新赤版が一〇〇〇点を迎えたのを機に、人間の理性と良心への信頼を再確認し、それに裏打ちされた文化を培っていく決意を込めて、新しい装丁のもとに再出発したいと思う。一冊一冊から吹き出す新風が一人でも多くの読者の許に届くこと、そして希望ある時代への想像力を豊かにかき立てることを切に願う。

（二〇〇六年四月）

吉澤誠一郎

1968年群馬県沼田市生まれ
1991年東京大学文学部卒業．同大学院を経て
現在一東京大学大学院人文社会系研究科・文学部
准教授
専攻一中国近代史
著書一『天津の近代——清末都市における政治文化と
社会統合』(名古屋大学出版会)
『愛国主義の創成——ナショナリズムから近代
中国をみる』(岩波書店) ほか

清朝と近代世界 19世紀
シリーズ 中国近現代史①　　岩波新書(新赤版)1249

2010年6月18日　第1刷発行

著　者　吉澤誠一郎《よしざわせいいちろう》

発行者　山口昭男

発行所　株式会社 岩波書店
〒101-8002 東京都千代田区一ツ橋 2-5-5
案内 03-5210-4000　販売部 03-5210-4111
http://www.iwanami.co.jp/

新書編集部 03-5210-4054
http://www.iwanamishinsho.com/

印刷・三陽社　カバー・半七印刷　製本・中永製本

ISBN 978-4-00-431249-9　　Printed in Japan

索 引

あ 行

か 行

な　行

は　行

ま　行

や 行

ら 行

わ 行

略 年 表

1616年	ヌルハチ，ハンに即位
1636	ホンタイジ，大清の国号を定める
1644	明朝の滅亡．清軍，北京に入城
1689	清朝とロシアのネルチンスク条約
1727	清朝とロシアのキャフタ条約
1762	清朝，イリ将軍を設置
1781	『四庫全書』完成．甘粛でムスリムの反乱がおこる
1786	台湾で林爽文の乱がおこる
1793	英国使節マカートニー，乾隆帝に謁見
1796	乾隆帝が嘉慶帝に譲位．白蓮教徒の反乱がおこる
1799	乾隆帝死去．嘉慶帝，和珅を断罪
1813	天理教徒の蜂起
1820	嘉慶帝死去．道光帝の即位
1834	英国貿易監督官ネイピアが広東に到着
1836	許乃済，アヘン弛禁論を上奏
1838	黄爵滋，アヘン厳禁論を上奏
1839	欽差大臣林則徐，広東に到着
1840	イギリス軍，広東近海に集結したのち，北上して定海を占領
1842	清朝とイギリスの南京条約，香港を割譲
1843	清朝とイギリスの五港通商章程・虎門寨追加条約
1844	清朝とアメリカの望厦条約．清朝とフランスの黄埔条約
1845	上海土地章程
1850	道光帝死去．咸豊帝の即位
1851	洪秀全が天王に即位．清朝とロシアのイリ通商条約
1853	太平天国が南京を占領．上海で小刀会が蜂起
1856	雲南で杜文秀が蜂起．アロー号事件
1858	清朝とロシアの愛琿条約．清朝と露・米・英・仏の天津条約
1860	英仏軍の北京入城．清朝と英・仏・露の北京条約
1861	総理衙門の成立．咸豊帝死去．同治帝の即位
1862	北京に同文館を設置

略 年 表

1863年	ゴードン，常勝軍の司令官となる
1864	洪秀全死去．太平天国滅亡
1865	ヤークーブ・ベグ，カシュガルに政権をつくる
1870	天津教案
1871	ロシア軍のイリ占領．日清修好条規
1872	『申報』の創刊
1873	輪船招商局の成立．同治帝の親政開始．副島種臣，同治帝に謁見
1874	日本の台湾出兵
1875	同治帝死去．光緒帝の即位．マーガリ事件
1876	清朝とイギリスの芝罘協定
1877	郭嵩燾，初代駐英公使としてロンドンに着任．ヤークーブ・ベグ死去
1879	崇厚，ロシアとリヴァディア条約を結ぶ
1881	曾紀沢，ロシアとサンクト・ペテルブルク条約を結ぶ．ハワイ王カラカウアが李鴻章と会談
1882	朝鮮の壬午軍乱
1884	清朝軍がフランス軍とベトナム北黎で交戦．新疆省の設置．朝鮮の甲申政変
1885	清朝とフランスの天津条約．台湾省の設置
1886	清朝と英国，ビルマとチベットに関する協定を結ぶ
1887	清朝とポルトガルのリスボン議定書および北京条約
1888	康有為，光緒帝に上書を試みて失敗
1890	天津でゴードン・ホール落成
1894	日清戦争の開始
1895	清朝と日本の下関条約
1900	義和団戦争
1911	辛亥革命
1912	中華民国の成立．清朝最後の皇帝宣統帝の退位

参考文献

本文のなかで直接言及した史料をはじめ，執筆にあたって参考にした主な文献を掲げた．各章ごとに分類しているが，必ずしもその章だけに関係するとはかぎらない．紙数の関係からすべてを挙げることはできないが，多くの文献に教えられた．

史料

中国第一歴史檔案館編『乾隆朝上諭檔』檔案出版社，1991
中国第一歴史檔案館編『嘉慶道光両朝上諭檔』広西師範大学出版社，2000
中国第一歴史檔案館編『嘉慶帝起居注』広西師範大学出版社，2006
清仁宗『御製詩』初集，故宮珍本叢刊影印本，海南出版社，2000
中国人民大学清史研究所・中国第一歴史檔案館合編『天地会』中国人民大学出版社，1980-88
中国第一歴史檔案館編『鴉片戦争檔案史料』天津古籍出版社，1992
奕訢等総裁・朱学勤等総纂『欽定勦平捻匪方略』中国方略叢書影印本，成文出版社，1968
中華書局編輯部・李書源整理『籌辦夷務始末』同治朝，中華書局，2008
王彦威・王亮編，王敬立校『清季外交史料』外交史料編纂処，1932-35
劉徳権点校『洪亮吉集』中華書局，2001
陶澍『陶文毅公全集』近代中国史料叢刊影印本，文海出版社，1968
林則徐『林文忠公政書』近代中国史料叢刊影印本，文海出版社，1967
中山大学歴史系中国近代現代史教研組研究室編『林則徐集』日記，中華書局，1962
張集馨『道咸宦海見聞録』中華書局，1981
湖南人民出版社校点『郭嵩燾日記』湖南人民出版社，1981-83
曾国藩『曾国藩全集』岳麓書社，1985-94
顧廷竜・戴逸主編『李鴻章全集』安徽教育出版社，2008
左宗棠『左文襄公全集』近代中国史料叢刊続編影印本，文海出版社，1979
張之洞『張文襄公全集』近代中国史料叢刊影印本，文海出版社，1970
馮桂芬『校邠廬抗議』続修四庫全書影印本，上海古籍出版社，1995

王韜『弢園文録外編』続修四庫全書影印本，上海古籍出版社，1995
鄭観応『南遊日記』中国史学叢書影印本『中山文献』学生書局，1965，所収
蔡少卿整理『薛福成日記』吉林文史出版社，2004
周慶雲纂『南潯志』中国地方志集成郷鎮志専輯影印本，上海書店，1992
通信全覧編集委員会編『続通信全覧』類輯之部 29，雄松堂出版，1987
外務省調査部編『大日本外交文書』日本国際協会，1936-40
吉川幸次郎・佐竹昭広・日野龍夫校注『日本思想大系 40 本居宣長』岩波書店，1978
田中彰校注『日本近代思想大系 1 開国』岩波書店，1991

全体に関わる文献

歴史学研究会編『世界史史料 9 帝国主義と各地の抵抗 II』岩波書店，2008
並木頼寿・井上裕正『中華帝国の危機』中央公論社，1997
上田信『海と帝国―明清時代』講談社，2005
菊池秀明『ラストエンペラーと近代中国―清末中華民国』講談社，2005
平野聡『大清帝国と中華の混迷』講談社，2007
蕭一山『清代通史』修訂本，台湾商務印書館，1962
滋賀秀三『清代中国の法と裁判』創文社，1984
坂野正高『近代中国政治外交史―ヴァスコ・ダ・ガマから五四運動まで』東京大学出版会，1973
夫馬進編『中国東アジア外交交流史の研究』京都大学学術出版会，2007
岡本隆司・川島真編『中国近代外交の胎動』東京大学出版会，2009
吉澤誠一郎『天津の近代―清末都市における政治文化と社会統合』名古屋大学出版会，2002
小野川秀美『清末政治思想研究』1，平凡社，2009
佐藤慎一『近代中国の知識人と文明』東京大学出版会，1996
梁啓超(小野和子訳注)『清代学術概論―中国のルネッサンス』平凡社，1974
錢穆『中国近三百年学術史』商務印書館，1937

はじめに
石川九楊編『蒼海 副島種臣書』二玄社，2003
リットン・ストレイチー(中野康司訳)『ヴィクトリア朝偉人伝』みすず書房，2008
ジョナサン・スペンス(三石善吉訳)『中国を変えた西洋人顧問』講談社，1975

第1章
岸本美緒『東アジアの「近世」』山川出版社，1998
石橋崇雄『大清帝国』講談社，2000
杉山清彦「大清帝国の支配構造と八旗制――マンジュ王朝としての国制試論」『中国史学』18巻，2008
柳静我「「駐蔵大臣」派遣前夜における清朝の対チベット政策――1720～1727年を中心に」『史学雑誌』113編12号，2004
佐口透『ロシアとアジア草原』吉川弘文館，1966
宮崎市定『雍正帝――中国の独裁君主』岩波書店〔岩波新書〕，1950
Benjamin A. Elman, *From Philosophy to Philology: Intellectual and Social Aspects of Change in Late Imperial China*, Cambridge, Mass., 1984.
구범진「清의 朝鮮使行 人選과 '大清帝国体制'」『人文論叢』59集，2008
渡辺佳成「ボードーパヤー王の対外政策について――ビルマ・コンバウン朝の王権をめぐる一考察」『東洋史研究』46巻3号，1987
増田えりか「ラーマ1世の対清外交」『東南アジア――歴史と文化』24号，1995
マカートニー(坂野正高訳注)『中国訪問使節日記』平凡社，1975
James L. Hevia, *Cherishing Men from Afar: Qing Guest Ritual and the Macartney Embassy of 1793*, Durham, 1995.
黄一農「印象与真相――清朝中英両国的観礼之争」『中央研究院歴史語言研究所集刊』78本1分，2007
小沼孝博「19世紀前半「西北辺疆」における清朝の領域とその収縮」『内陸アジア史研究』16号，2001
野田仁「中央アジアにおける露清貿易とカザフ草原」『東洋史研究』68巻2号，2009
黒岩高「17-18世紀甘粛におけるスーフィー教団と回民社会」『イスラム世界』43号，1994
蔡少卿『中国近代会党史研究』中華書局，1987

参考文献

荘吉発『清代台湾会党史研究』南天書局，1999
陳金陵『洪亮吉評伝』中国人民大学出版社，1995
山田賢『移住民の秩序――清代四川地域社会史研究』名古屋大学出版会，1995
山田賢「「官逼民反」考――嘉慶白蓮教反乱の「叙法」をめぐる試論」『名古屋大学東洋史研究報告』25号，2001
Dian H. Murray, *Pirates of the South China Coast, 1790-1810*, Stanford, 1987.
Susan Naquin, *Millenarian Rebellion in China : The Eight Trigrams Uprising of 1813*, New Haven, 1976.
大谷敏夫『清代政治思想史研究』汲古書院，1991
魏秀梅『陶澍在江南』中央研究院近代史研究所，1895
岡本隆司「清末票法の成立――道光期両淮塩政改革再論」『史学雑誌』110編12号，2001
稲田清一「清代江南における救荒と市鎮――宝山県・嘉定県の「廠」をめぐって」『甲南大学紀要 文学編』86号，1993
Man-houng Lin, *China Upside Down : Currency, Society, and Ideologies, 1808-1856*, Cambridge, Mass., 2006.
Richard von Glahn, "Foreign Silver Coins in the Market Culture of Nineteenth Century China," *International Journal of Asian Studies*, vol. 4, part 1, 2007.
Alejandra Irigoin, "The End of a Silver Era : The Consequences of the Breakdown of the Spanish Peso Standard in China and the United States, 1780s-1850s," *Journal of World History*, vol. 20, no. 2, 2009.
衛藤瀋吉『近代中国政治史研究』東京大学出版会，1968
横井勝彦『アジアの海の大英帝国――19世紀海洋支配の構図』講談社〔講談社学術文庫〕，2004
井上裕正『林則徐』白帝社，1994
井上裕正『清代アヘン政策史の研究』京都大学学術出版会，2004
新村容子『アヘン貿易論争――イギリスと中国』汲古書院，2000
村尾進「カントン学海堂の知識人とアヘン弛禁論，厳禁論」『東洋史研究』44巻3号，1985
村上衛「閩粤沿海民の活動と清朝――19世紀前半のアヘン貿易活動を中心に」『東方学報』京都75冊，2003
堀川哲男『林則徐――清末の官僚とアヘン戦争』中央公論社〔中公文庫〕，1997

茅海建『天朝的崩潰──鴉片戦争再研究』三聯書店，1995

第2章

柳父章『「ゴッド」は神か上帝か』岩波書店〔岩波現代文庫〕，2001
市古宙三『洪秀全の幻想』汲古書院，1989
小島晋治『洪秀全と太平天国』岩波書店〔岩波現代文庫〕，2001
菊池秀明『広西移民社会と太平天国』風響社，1998
菊池秀明『清代中国南部の社会変容と太平天国』汲古書院，2008
茅海建『苦命天子──咸豊皇帝奕詝』三聯書店，2006
近藤秀樹『曾国藩』人物往来社，1966
Elizabeth J. Perry, *Rebels and Revolutionaries in North China, 1845-1945*, Stanford, 1980.
並木頼寿「清末皖北における捻子について」『東洋学報』59巻3・4号，1978
並木頼寿「捻軍の反乱と圩寨」『東洋学報』62巻3・4号，1981
王樹槐『咸同雲南回民事変』中央研究院近代史研究所，1968
神戸輝夫「清代後期の雲南回民運動について」『東洋史研究』29巻2・3号，1970
安藤潤一郎「清代嘉慶・道光年間の雲南省西部における漢回対立──「雲南回民起義」の背景に関する一考察」『史学雑誌』111編8号，2002
吉澤誠一郎「近代中国の租界」吉田伸之・伊藤毅編『伝統都市2 権力とヘゲモニー』東京大学出版会，2010
岡本隆司『近代中国と海関』名古屋大学出版会，1999
James L. Hevia, *English Lessons: The Pedagogy of Imperialism in Nineteenth-century China*, Durham, 2003.
Demetrius C. Boulger, *The Life of Gordon*, London, 1896.
李細珠『晩清保守思想的原型──倭仁研究』社会科学文献出版社，2000

第3章

王暁秋『近代中日文化交流史』中華書局，1992
佐々木揚『清末中国における日本観と西洋観』東京大学出版会，2000
春名徹「1862年 幕府千歳丸の上海派遣」田中健夫編『日本前近代の国家と対外関係』吉川弘文館，1987
川島真『中国近代外交の形成』名古屋大学出版会，2004

田保橋潔「清同治朝列国公使の覲見」『青丘学叢』6 号，1931
曹雯「清末外国公使の謁見問題に関する一考察——咸豊・同治期を中心に」『社会文化史学』44 号，2003
王開璽『清代外交礼儀的交渉与論争』人民出版社，2009
毛利敏彦『台湾出兵——大日本帝国の開幕劇』中央公論社〔中公新書〕，1996
西里喜行『清末中琉日関係史の研究』京都大学学術出版会，2005
岡本隆司『属国と自主のあいだ——近代清韓関係と東アジアの命運』名古屋大学出版会，2004
吉田金一『近代露清関係史』近藤出版社，1974
中田吉信「同治年間の陝甘の回乱について」近代中国研究委員会編『近代中国研究』3 輯，東京大学出版会，1959
黒岩高「械闘と謡言——19 世紀の陝西・渭河流域に見る漢・回関係と回民蜂起」『史学雑誌』111 編 9 号，2002
新免康「ヤークーブ・ベグ政権の性格に関する一考察」『史学雑誌』96 編 4 号，1987
濱田正美「「塩の義務」と「聖戦」との間で」『東洋史研究』52 巻 2 号，1993
片岡一忠『清朝新疆統治研究』雄山閣出版，1991
千葉正史『近代交通体系と清帝国の変貌——電信・鉄道ネットワークの形成と中国国家統合の変容』日本経済評論社，2006
斯波義信『華僑』岩波書店〔岩波新書〕，1995
可児弘明『近代中国の苦力と「豬花」』岩波書店，1979
園田節子『南北アメリカ華民と近代中国——19 世紀トランスナショナル・マイグレーション』東京大学出版会，2009
村上衛「19 世紀中葉廈門における苦力貿易の盛衰」『史学雑誌』118 編 12 号，2009
東條哲郎「19 世紀後半マレー半島ペラにおける華人錫鉱業——労働者雇用方法の変化と失踪問題を中心に」『史学雑誌』117 編 4 号，2008
荘国土『中国封建政府的華僑政策』廈門大学出版社，1989

第 4 章

吉澤誠一郎「清代後期における社会経済の動態」村田雄二郎ほか編『シリーズ 20 世紀中国史 1 中華世界と近代』東京大学出版会，2009

田中正俊『中国近代経済史研究序説』東京大学出版会，1973
岩井茂樹『中国近世財政史の研究』京都大学学術出版会，2004
鈴木智夫『洋務運動の研究―19 世紀後半の中国における工業化と外交の革新についての考察』汲古書院，1992
足立啓二「大豆粕流通と清代の商業的農業」『東洋史研究』37 巻 3 号，1978
曽田三郎『中国近代製糸業史の研究』汲古書院，1994
古田和子「「湖糸」をめぐる農民と鎮」『東京大学教養学科紀要』17 号，1985
陳慈玉『近代中国茶業的発展与世界市場』中央研究院経済研究所，1982
林満紅『茶，糖，樟脳業与台湾之社会経済変遷』聯経，1998
浜下武志『近代中国の国際的契機―朝貢貿易システムと近代アジア』東京大学出版会，1990
汪敬虞『唐廷枢研究』中国社会科学出版社，1983
本野英一『伝統中国商業秩序の崩壊―不平等条約体制と「英語を話す中国人」』名古屋大学出版会，2004
帆刈浩之「近代上海における遺体処理問題と四明公所―同郷ギルドと中国の都市化」『史学雑誌』103 編 2 号，1994
卓南生『中国近代新聞成立史　1815-1874』ぺりかん社，1990
李長莉『晩清上海社会的変遷―生活与倫理的近代化』天津人民出版社，2002
梁其姿『施善与教化―明清的慈善組織』聯経，1997
夫馬進『中国善会善堂史研究』同朋舎出版，1997
高橋孝助『飢饉と救済の社会史』青木書店，2006
Elizabeth Sinn, *Power and Charity: The Early History of the Tung Wah Hospital, Hong Kong*, Hong Kong, 1989.
Mary Backus Rankin, *Elite Activism and Political Transformation in China: Zhejiang Province, 1865-1911*, Stanford, 1986.
新村容子「清末四川省における局士の歴史的性格」『東洋学報』64 巻 3・4 号，1983
武内房司「清末四川の宗教運動―扶鸞・宣講型宗教結社の誕生」『学習院大学文学部研究年報』37 輯，1990

第 5 章

箱田恵子「中英「ビルマ・チベット協定」(1886 年)の背景―清末中

国外交の性格をめぐる一考察」『史林』88 巻 2 号，2005
豊岡康史「清代中期の海賊問題と対安南政策」『史学雑誌』115 編 4 号，2006
岡本隆司「清仏戦争への道――李・フルニエ協定の成立と和平の挫折」『京都府立大学学術報告 人文・社会』60 号，2008
小泉順子『歴史叙述とナショナリズム――タイ近代史批判序説』東京大学出版会，2006
宮田敏之「シャム国王のシンガポール・エージェント――陳金鐘(Tan Kim Ching)のライス・ビジネスをめぐって」『東南アジア――歴史と文化』31 号，2002
佐藤慎一「鄭観応について――「万国公法」と「商戦」(2)」『法学』48 巻 4 号，1984
閔斗基『中国近代史研究――紳士層의 思想과 行動』一潮閣，1973
増淵龍夫『歴史家の同時代史的考察について』岩波書店，1983
包世臣(高畑常信訳)『芸舟双楫』木耳社，1982
松村茂樹編『呉昌碩談論――文人と芸術家の間』柳原出版，2001
坂出祥伸『康有為――ユートピアの開花』集英社，1985
陳捷『明治前期日中学術交流の研究――清国駐日公使館の文化活動』汲古書院，2003
許雪姫『満大人最後的 20 年――洋務運動与建省』自立晩報文化出版部，1993

おわりに

Kenneth Pomeranz, *The Making of a Hinterland: State, Society, and Economy in Inland North China, 1853-1937*, Berkeley, 1993.
山本進『環渤海交易圏の形成と変容――清末民国期華北・東北の市場構造』東方書店，2009
茂木敏夫「中華帝国の「近代」的再編と日本」大江志乃夫ほか編『岩波講座 近代日本と植民地 1 植民地帝国日本』岩波書店，1992
吉澤誠一郎『愛国主義の創成――ナショナリズムから近代中国をみる』岩波書店，2003